北京出版集团
北京少年儿童出版社

著作权合同登记号
图字:01-2009-4304

图书在版编目(CIP)数据

墓室里的秘密 /（英）阿诺德（Arnold，N.）原著；（英）高达德（Goddard，C.）绘；尚工译．—3 版．—北京：北京少年儿童出版社，2010. 1（2024.7重印）
（可怕的科学·科学新知系列）
ISBN 978-7-5301-2378-2

Ⅰ.①墓…　Ⅱ.①阿…　②高…　③尚…　Ⅲ.①考古学—少年读物　Ⅳ.①K85-49

中国版本图书馆 CIP 数据核字(2009)第 182733 号

可怕的科学·科学新知系列
墓室里的秘密
MUSHILI DE MIMI
［英］尼克·阿诺德　原著
［英］克里夫·高达德　绘
尚　工　译
*
北京出版集团
北京少年儿童出版社　出版
（北京北三环中路6号）
邮政编码:100120
网　址：www．bph．com．cn
北京少年儿童出版社发行
新华书店经销
三河市天润建兴印务有限公司印刷
*
787 毫米×1092 毫米　16 开本　9. 5 印张　60 千字
2010 年 7 月第 3 版　2024 年 7 月第 51 次印刷
ISBN 978-7-5301-2378-2/N·166
定价：22. 00 元
如有印装质量问题，由本社负责调换
质量监督电话：010-58572171

目录

入门初步

考古学绝对令人敬畏……那是因为考古学家们总在考察死人，以推测他们在过去是怎样生活的。他们考察废弃了的遗地地址——那里杂草丛生，只有老鼠和蛇才会光顾，有的还被深埋地底。他们甚至对坟墓中已被人们久久遗忘的经过熏沐的木乃伊表现出特别的兴趣。

当考古学家发掘出远古的遗址时，那情景简直就像使古人复活，并与其述说那遥远的过去。当然，考古学家不会真的和骷髅聊天，也不会对着木乃伊叽叽咕咕——他们真要这样，你可能会认定他们准是什么地方出了毛病。但是，考古学通过向你还原并展示古代的真实情境，在某种程度上，的确能使某些东西起死回生，这是令人敬畏的事实。

在这本书中，你会发现……

考古学家们到底在干些什么（包括他们许多尴尬的时刻）？

考古学是什么玩意儿？它怎么在你脚下展开？

那是一些惊人而又令人叹为观止的发现。

怎样才能成为一个考古学家呢？

满桶满桶脏兮兮、臭气熏天的土货，像史前时期的粪便、骷髅和坟墓中那些令人恐怖的陈腐的秘密，还有如何把你的兄弟姊妹熏制成木乃伊那样的东西……

在下一章，所有这些将一一登场，你会碰到一个幸运的家伙，他凑巧发现了闻名世界的古墓，找到了由死尸制成的木乃伊。考古学家的工作就像木乃伊一样被包裹得神秘莫测。你想了解他们吗？那就一起来“发掘”下面的书页——说不定你能翻出什么宝贝呢！

诡秘的发掘人

在你踮着脚轻轻走过墓道，或者试图搬动木乃伊之前，你起码要懂些考古学的基础知识，说不定你还会对那些生动的故事感兴趣，诸如考古学家的逸闻趣事，哪一个考古学家跳下悬崖，以及怎样才能够真正成为一名考古学家……

考古学起源于哪里？对了，这是一个好问题！

考古学的发展历程

考古学家挖开当前的地层，掘入越深，他们就能发现越古老的埋藏物品。在我们的脚下，伴随时间的推移，泥土和垃圾一层层堆积，你挖得越深，就越能触摸到更久远的过去——这有点儿像吃卤汁面条。（但愿你们学校的卤汁面条不会流出古老的遗物！）不管怎样，我们要挖穿时间的地层，出土考古学的故事……

1960—1969

美国水下考古学家乔治·巴斯率先进行水下考古，这证明考古学家能够真正深入水下。

1949—1951

格雷厄姆·克拉克是最早寻求其他学科科学家帮助并解释远古地貌的考古学家之一。比如说，植物学家提供有关植物遗存的建议。

1950—1959

凯斯琳·凯尼恩（1906—1978，英国女考古学家）发掘了约旦的耶利哥城。她是首批利用放射性碳给发现物测年断代（参看本书第45页）的考古学家之一。他们真该利用这门技术考察本书中的玩笑话！

1920—1929

伦纳德·伍利（1880—1960）在伊拉克发掘了有着5000年历史的乌尔城。他用牙刷和牙签小心翼翼地清扫尘灰，生怕漏掉什么东西。（但愿后来他没用它来刷牙！）

1900

亚瑟·伊文思（1851—1941）发掘了克里特岛的克洛索斯，并且在那里发现了一座宏伟的宫殿，以及世界上最早的厕所（公元前2800年），他还成功地进行冲水呢。

1887—1898

奥古斯塔斯·亨利非常富有，因此他的名声很大，头衔比其他任何人都多！他还是一个将军，他运用军事侦察的方法，绘制出标示出土物地点的详尽平面图。现代考古学家至今还在使用大致相同的技术。

1870—1890

亨利希·谢里曼（1822—1890）发现了特洛伊城和希腊几个消失的城市，希腊诗人荷马曾描述过它们。也可以这么说，亨利希在荷马的家乡安营扎寨了。

1860

意大利考古学家菲奥雷利（1823—1896）挖出了庞贝古城——被火山灰湮没的古罗马城市。在那场灾难中死去的人们，尸体都腐化了；覆盖尸首的岩浆，随即凝固，当中则留下空空的人形。菲奥雷利在空洞中灌满石膏，浇注出人体形状。这听起来真的很恐怖，不是吗？

1840—1849

奥斯汀·莱亚德（1817—1894）发现了伊拉克尼尼微城亚述王那有2500年历史的官殿。他发掘出令人毛骨悚然的雕刻并运送到伦敦；那里的人们都蜂拥前往，参观被活生生剥了皮的耐人寻味的形象。（它们至今仍陈列在大英博物馆中，兴许你也想去瞄一眼。）

1798

1700
年以前

法国考古学家埃米尔在科萨巴德附近也有类似发现。

英勇无畏的法国专家在炮火纷飞的战斗中着手研究金字塔。我很吃惊，里面的那些木乃伊怎么会容许他们活着出来！

以前，除了寻找财宝，或者收集有价值的东西，还没有人发掘文物。这和现代考古学大相径庭。

现在，该看你的了，加油干呀！

耸人听闻的事实

在公元前6世纪的拿波尼德斯城，巴比伦国王建造了世界上第一座博物馆，用来收藏本地的文物。考古学家们一直在搜寻这座博物馆，以便把那些文物收藏到现代的博物馆中。

考一考考古学家

要是你和考古学家聊天，你可以考考他们的专业知识……

答案

托马斯·杰斐逊（1743—1826）是详细记录考古发现的人物之一（在那之前，人们只是简单地挖出东西，事后对于发掘地点忘得一干二净）。1784年，杰斐逊在弗吉尼亚发现了一个多层堆积的古墓。在越低的地层，骨头腐化得就越厉害，看起来掩埋的时间就更久远。据此，杰斐逊认定这些地层更古老。不过，你可不能叫老杰斐逊懒骨头哦！

早期的考古学家犯下了很多错误。他们不知道如何推算发现物的年代，并且时常在粗心莽撞的发掘中破坏那些出土的物品。德国的亨利希·谢里曼是一个老是出错的考古学家。让我们设想一下谢里曼在接受电视采访时的情景吧。嗯，对了，我知道他死之前电视还没有发明出来，但是，兴许电视台能够挖出——我的意思是发掘出——他的尸体来接受采访……

欢迎收看“死灰复燃”节目。今天晚上，我们荣幸地邀请到亨利希·谢里曼——特洛伊城的发现者。
引起你对特洛伊产生兴趣的是你小时候的圣诞礼物——荷马的著作吗？
咳！咳嗽！好厉害的咳嗽，快把我折腾死了！
是的，荷马在哪里，哪里就发烧！

我刚十岁的时候，爸爸给我讲特洛伊城如何陷落，因为在一个大木马中隐藏着很多名战士。“爸爸，”所以我说，“我要去找到特洛伊。”不好意思，我如今得勒马停一停了……咳，咳！

你长大成人，去俄国做生意，发了大财。
是啊，我缺少的不是一点卢布。
于是你决定，在土耳其花钱寻找真正的特洛伊。
是的，我想找到卢布，我成功了。

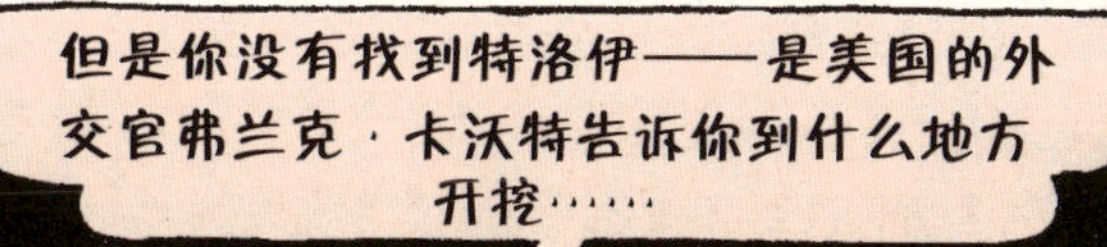

仔细些！仔细些！

并且你在特洛伊城乱开壕沟，破坏了大部分城池。你发现了九座城市，每一座都建立在先前城市的废墟上。你迫不及待地相信第二座城市就是荷马的特洛伊，为了深入发掘，你捣毁了第六座，事实上，它更可能是真正的目标。

任何人都会犯错误！

等工人喝茶点去了，你就从一个坟墓中悄悄挖出一网兜的珠宝，然后你把妻子打扮起来——好像那些珠宝都应该归你所有似的！

是的，索菲亚是我的小宝贝！

你把珠宝偷运出土耳其，你犯了法！

我犯了一个严重的错误。

但是你现在没机会改过了，因为你死了。

是的，那给我找了不少的麻烦！

不是所有的考古学家最终都像谢里曼那样闻名和成功，取一块手帕，读下去，准备痛快地哭一场吧……

不幸的考古学家

1. 维多利亚时代的考古专家普奈特花了几年时间，详细而准确地勾画出了英格兰康沃尔史前遗址。但是没有人买他的书，等他的钱袋瘪了，他发了疯，人们不得不把他锁起来。普奈特的状况真是糟透了。

2. 秘鲁的土著考古学家特略（1880—1847，曾发现著名的查文文化——译注）排除万难到了美国的哈佛大学去学习考古，他要去发现自己种族的历史。由于被这个强烈的愿望驱使，他回到秘鲁，发现了一座精雕细刻的神殿。研究这座神殿成为他毕生的事业。一天晚上，大雨倾盆，堤坝崩溃，洪水冲走了特略那来之不易的收藏在博物馆的发现物，泥浆湮没了神殿。特略说……

“考古学家也许命该如此。”他这样哀叹。两年后，特略死了，整个儿崩溃了。

3. 澳大利亚的戈登·蔡尔德（1892—1957）收集了所有可以到手的资料，推算出发生在1万年以前由于一段干旱期导致的食物匮乏的事件。后来，考古学家们发现压根儿没有所谓的干旱期。相反，越来越多的证据反对蔡尔德的观点，他沮丧极了，便跳下了悬崖。

成为一个考古学家的滋味如何呀？是命运注定，前途晦暗呢，还是他也会有辉煌的时刻？你很快就能知道答案，别急——你能不能先为考古学家挑选出哪一份是真正的招工广告？

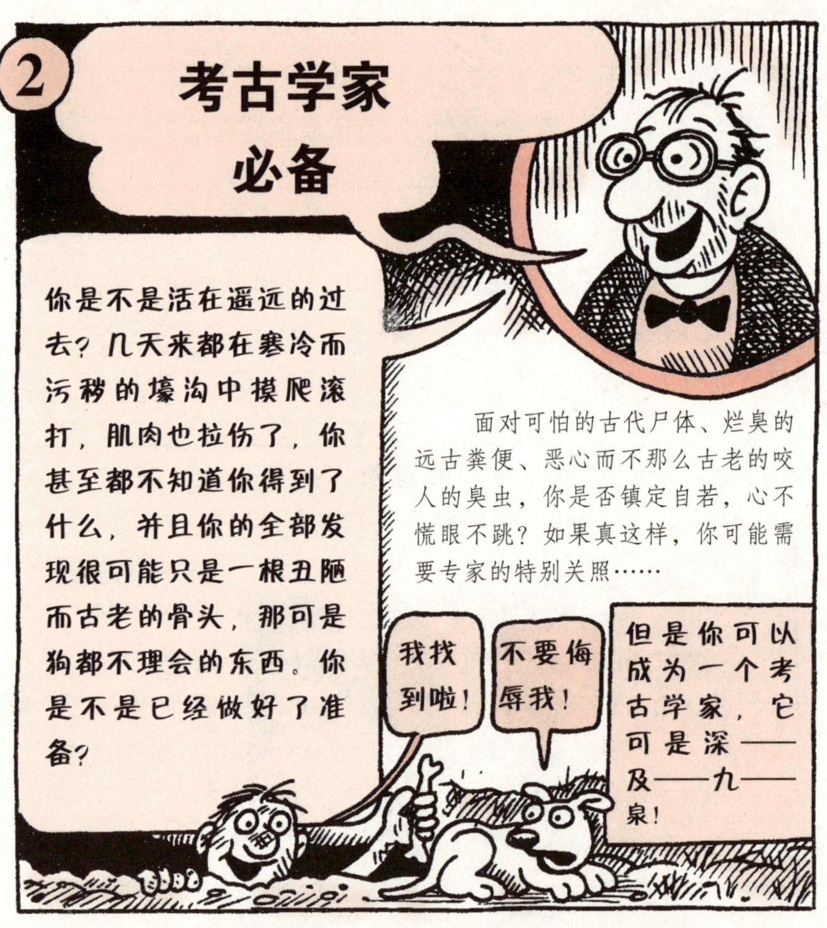

现在，你是不是确定了哪一个是真正的招工广告？

恐怕就是这样。你明白了吧，要成为一个考古学家，工作就是劳累辛苦，枯燥沉闷，你甚至甭想赚到大钱。但是在你丢开这本书之前，先打开电视，读读这一则……

公开致歉

我们为说过“文物考古是个彻头彻尾的重活儿”而致歉。考古中的辛苦就占到99%，但还是有兴奋得唾沫横飞、紧张得心跳加速、高兴得泪眼模糊的时刻，有这些，就值得为之一搏。这里就有一些人……

震惊世界的考古发现

埃及，1923年。

热得令人窒息。他的头发被汗水濡湿了，一绺一绺的。汗水像小溪一样，从他白色硬挺的衬衫领口流下来，滴落在腌臜的白色亚麻布的西服上。

他四十来岁，除了间或发发脾气，他道貌岸然，很少表露他的情感。但是现在他的一双大手在不住地颤抖。他的名字叫霍华德·卡特，他的全部生命都凝聚到这个时刻……

他迫不及待地铲凿着一个小孔，并在灰泥碎末尘封的紧闭的门墙上打开了一个洞，烛光在发霉的空气中摇曳，里面有什么东西呢？是一个空空如也的墓室，还是……

霍华德一边工作，脑海中一边浮现出过去的种种回忆，他记得自己十几岁的时候，第一次考古发掘时刷掉发现物上的尘土时的情景。他回想起为埃及政府工作，搜寻图坦卡蒙陵墓的那些岁月。

他想起几周前他的一个工人发现了一段梯子倒向地面。这里就是尽头，在这里卡特想要看到的，是那个不为人知的陵墓。

终于，洞孔够大，可以透过洞孔观察里面了。蜡烛烛芯发出的油烟旋绕着，烛光猛地一阵摇曳。随后的景象在卡特眼前迅速闪现，舞动的影子似乎在发光。是什么呢？金子？是的，是金子在闪光呀！

他听见耳边一个轻轻的声音："看见什么啦？"是罗德·卡纳温——他掏腰包资助卡特——迫不及待地询问消息。他有一双苍白的眼睛，长着痘痘的脸充满严峻。

"是的，"卡特吸了口气，"我看见了奇特的宝贝。"

他看见雕刻成兽形的王冠，贴金的雕塑，塞满珍珠的金棺。到处都是金子和珠宝，超出了他的梦想。消息在卡特后面的人群中传递着，兴奋的低语充塞了整个墓穴。

但是卡特仍旧瞪视着里面，带着眩晕的神情。汗水从他布满尘土的脸上

蜿蜒流下来，浸透了衬衫，他哪里还顾得上呢。他紧紧注视着那个3000年来——50代人的寿命—— 一直被人们遗忘的地方，呼吸着自从古埃及就封存起来的腐朽的空气，他很清楚，他的命运就在此刻改变了……是的，永远地改变了。

在过后的几周，甚至几个月，这一发现成为头版新闻，顿时“洛阳纸贵”……

德里新闻——1922年11月

王者之风！

霍华德·卡特实现了划时代最伟大的考古发现！考古学家霍华德·卡特，48岁，今天说：“这是理所应得！”

澳大利亚体育——1922年11月

最后的狂欢！

骄傲的英国移民、挖宝者霍华德·卡特一脸微笑，他在尼罗河边被拥戴为历史上最大的劫掠珠宝藏品的僧人！

纽约新闻——1922年11月

发现了国王图坦卡蒙！

霍华德·卡特的发现货真价实，囊中鼓胀。不像国王谷中其他的陵墓，在此之前，它未曾有任何盗墓者光顾过。

开罗时报——1923年3月

图坦卡蒙陵墓*的最新消息

陵墓的4个房间都堆满了成千上万的无价之宝，其中包括3个金棺——形似国王的身体，一个套一个；一个纯金的死者面罩；国王的私人家具、衣物、珠宝和猎物。霍华德·卡特说：“这里的东西甚至比我们想象的还要多，我得花几十年来研究。”

* 有关图坦卡蒙陵墓发现的详细资料请参考第74页。

故事攫住了公众的想象。从此，古埃及式样的衣服、珠宝和装饰，引领了新的时尚。并且，理所当然的，考古学界也为之沸腾了，这里有一个考古学家解释为什么这个陵墓如此重要……

分所应得

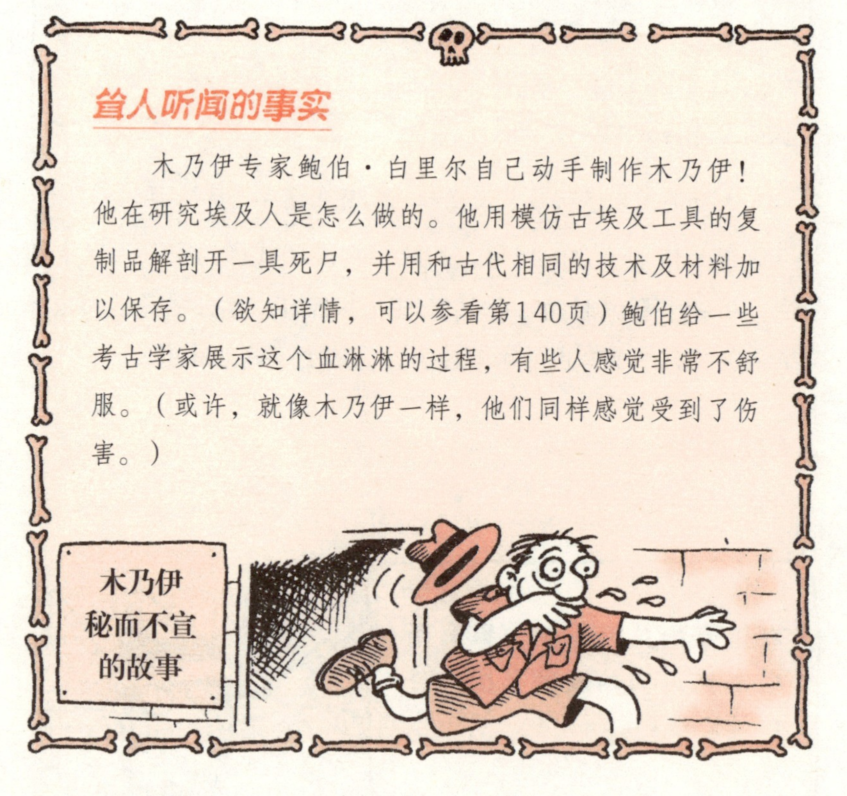

木乃伊专家鲍伯·白里尔自己动手制作木乃伊！他在研究埃及人是怎么做的。他用模仿古埃及工具的复制品解剖开一具死尸，并用和古代相同的技术及材料加以保存。（欲知详情，可以参看第140页）鲍伯给一些考古学家展示这个血淋淋的过程，有些人感觉非常不舒服。（或许，就像木乃伊一样，他们同样感觉受到了伤害。）

但是，作为一个考古学家，还有比亲自动手制作木乃伊和发现不为人知的陵墓更多的事情。在考古学家发现什么之前，甚至在他们开挖之前，他们必须找到一个遗址——要开挖的地点，下一章将详细展开介绍，读下去——那些地方可是众所瞩目的……

神秘的遗址

在阅读下面重要的警告之前，请不要翻到下一页……

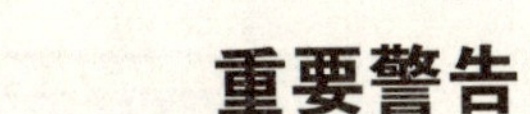

重要警告

考古遗址可能被莽撞的来访者轻易地破坏掉，此处有三件事你不能轻举妄动（如果你不想待在监狱里面）。

1. 不要在乡村开挖。那些土地有可能是属于私人的，这里的危险来自凶悍的看家狗，它们会咬你的腿，甚至，还有比狗更凶狠的主人。

2. 不要挖公园和学校操场。凶神恶煞、半疯半癫的公园管理人会追得你非歇手不可，特别是你的发掘毁坏了他的大丽菊。

3. 不要动用金属探测器去寻找。也就是说，对考古学家而言，金属探测器会使你蒙羞，很难堪的，一些人甚至会眼泪汪汪。因为一些持有金属探测器的人，事实上是在干偷盗的勾当。

还要读?

棒极了，读这个章节好了。只要不违犯这些规则，你去寻找考古遗址，我就会大声叫好。我知道，就是这本书，可以助你一臂之力……

考古入门

E.C.皮斯 作

引言

考古学，考古学，考古学，我喜欢说这个单词。你看，考古学真爽，简直酷毙透了，干考古我都47年了，我还嫌不够！它非常棒、爽、妙，就是你没有特殊的装备，甚至缺乏经验的积累，也照样可以干。——这就是本书的目的，为初学者提供捷径！

第1章：找个遗址奠基

欢迎喜欢从事考古学的伙计们！想成为一个考古学家，要做的第一件事就是去勘察一个遗址，你问对人啦！我恰好知道怎么去找……

步骤1

取来一张地图，摊开（提防不要让猫咪在上面翻跟斗），查看一些地名。注意——有些地名可以提供当地考古的线索。

我的意思是，如果有地方叫“骨头山”的话，就展开想象吧。它或许是一座山，藏有——嘿，就是就是——骨头呢！或许是一座坟地山丘？除此以外，街道的名字也可以提示你那是一个古老的遗址。在“城堡街”或者“修道院路”，你猜猜看能找到什么东西？

步骤2

就是这儿啦，好家伙！在你抓紧铁铲动手之前，还有好多其他事情你不得不做呢。资料——有关这个地点过去历史的更多的线索。径直跑到当地的图书馆，搜寻一些有用的信息。在这个地方，有没有人发现古陶器？有没有让人起鸡皮疙瘩的古老传说？老年间的故事可以提供一个地方的历史线索。

步骤3

挖下去？棒极了。该是勘察遗址的时候了！在周围做一个小小的调查，查看任何一块风化了的石块，看它是不是墙壁的一部分？古代遗址上的石头往往会被重复使用，因此，要寻找老屋墙壁上的一些石头，就看你着手的是什么样的“墙”了。

步骤4

轮到最大限度考验你的侦察技术的时候了！是的，眼睛要能入土三分，要看个一清二楚（但不要未经允许就擅入别人的花园）。这里有一些细节要密切关注……

一地分散的石头也许标志着一段旧墙。好啊你，拿石头掷我！

地上的古陶器和骨头，它们不仅是古老的垃圾，更大的可能是古老的考古学垃圾！

如果你发现大堆这样的东西，那就可能标示着一栋房屋或者住宅。好啦，那就“遗留”给你看了，哈，哈！

步骤5

在你的鼻子拱向地面的时候，为什么不向当地的植被表示友好呢？我是当真的，如果你寻找作物印迹，植被可以告诉你过去的事情。哇噻——有点行话了——不好意思，好家伙！作物印迹可以暗示你一个遗址掩埋的地方……

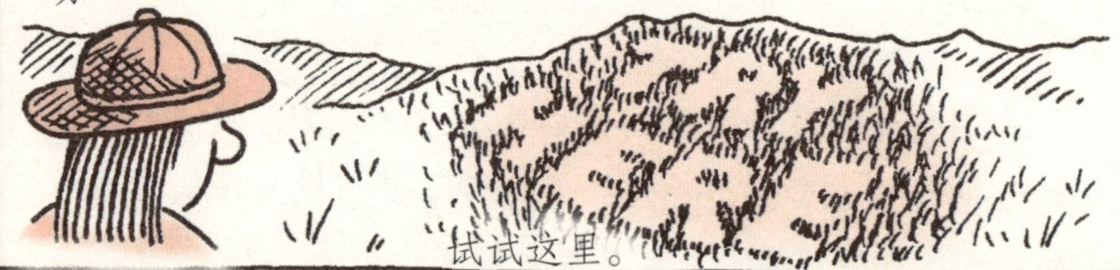

高大的植被可能预示一个被填实的壕沟的位置。

低矮的植被可能预示地下有一段墙。

步骤6

恰好在日落之前，你也许可以看到一些奇特的事物（但愿你不害怕鬼——怪——精——灵）。（年轻的考古小家伙得有一个成年人陪着他们）对了，夕阳低低的光线可以显现地面的隆起和凹陷，在其他时间你是注意不到的。

一块凹地也许标示着被填实的壕沟。

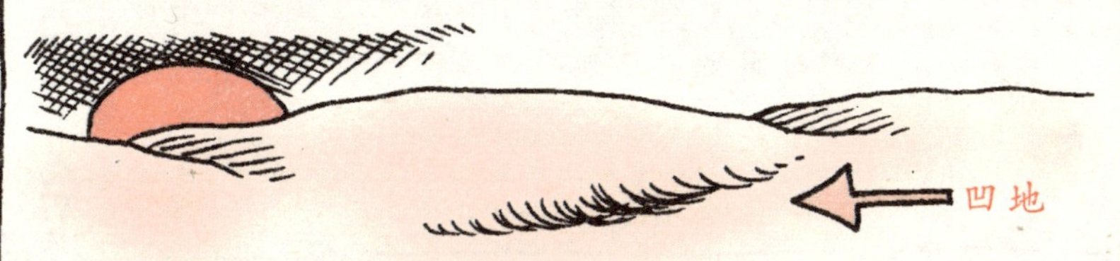

一块隆起也许标示着墙的遗迹。

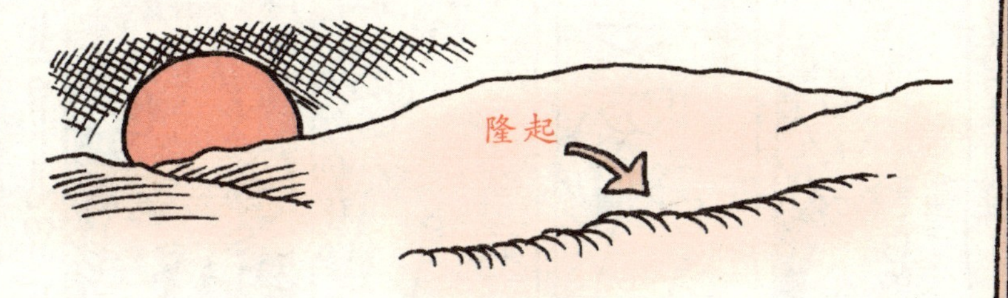

可是伙计们，记着不要跨越这些隆起，否则，你的脑袋瓜就要给撞出“考古学隆起”的肿块了。

耸人听闻的事实

1. 刺人的荨麻通常生长在古老的壕沟或地窖的遗址上面，它们看上去像翻起来的泥土。荨麻也喜欢富含磷这种化学物质的泥土，而磷常含于动物的粪便和骨头内——因此，一丛荨麻也许隐藏着令人敬畏的考古秘密！

2. 英国的考古学家正在着手世界上最慢的实验。1962年，他们筑起一道堤坝和壕沟，其中掩埋了各种各样的发现物。这个计划是，从现在开始直到2088年，一直监测这个地点，以便弄清一个真正的遗址到底怎样发生变化，弄清实物在地底腐化得有多快。据目前的消息，壕沟里填满了泥土，被掩埋的纤维都已经分解了。

轰动一时的遗址

考古学家们运用E.C.皮斯描述的方法寻找古老的遗址。但是很多发现纯属偶然。例如农民们翻耕土地，翻上来古老的陶器；建筑工人为一座新旅馆挖地基，挖出了尸骨。并且有人还真的被遗址绊倒了。——是啊，我说的就是绊倒。1982年，考古学家弗朗西斯·普尔耶发现了一座有3000年历史，起初建筑在沼泽上的木质结构平台。对了，实际上当时他正要跨过突出地面的一根木头。在彼得伯勒的佛拉格芬的文物现在已向公众开放。

一旦考古学家发现了遗址，他们就想知道得更多。为了达此目的，倒有一种有趣的方法——飞到天上去！在地上，如果你难于弄清所有隆起和植被，那么在飞机或直升机上，你就拥有鸟一样的眼睛，能够俯瞰一切。

你可以看到，标记和隆起地带怎样显示一栋旧楼的轮廓——对，是在飞机上观察到的。你也许可以勘察近距离的遗址，对于过去有多少人生活在这个地区，他们是生活在农庄还是更大的集居地，你也可以了然于胸。

考古学知识

1. 最早的考古遗址的航拍照片之一，摄于1906年的巨石阵（位于英国南部的一处史前巨石建筑遗址——译注）。1913年，考古学家亨利·威尔卡蒙爵士草草装配了一架高新科技航空设备，在苏丹拍摄遗址。哦，对了，是在风筝上面系一个相机——倒经济实用，鼓舞人心。

2. 1980年，美国考古学家肯特·威克斯对埃及的古底比斯进行了航空侦察。他和他的同事乘上一架旧轰炸机，从弹舱挂出去拍摄照片。飞机每颠簸一回，他们就有掉下去的可能——这样乘坐飞机，听起来简直是发了疯。

勘察乡村

考古学家特别热衷勘察遗址四周的地貌，在那里早期的人们得以生存。下面的这些方法哪些有用，哪些压根儿不行？（请回答对或错。）

1. 他们检查一个旧老鼠洞里残留的东西。

2. 他们寻找死去很久的甲虫和蜗牛。

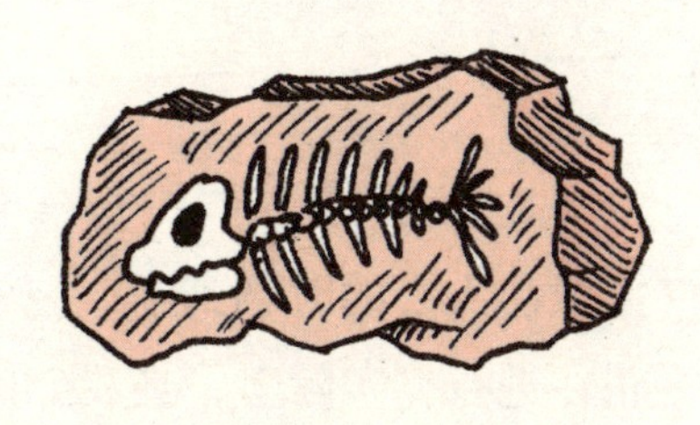

3. 他们敲破石头，以期发现化石。

4. 他们研究古代的花粉（花朵产生的“尘灰”）。

答案

1. 对。在美国西南部，一个个的老鼠洞藏着干粪便、老鼠屎和枯树叶，这些东西都经历了几百年干旱的沙漠气候。考古学家考察树叶，以便弄清在老鼠洞打成的时候，生长着什么样的植被。

2. 对。甲虫和蜗牛比宠坏了的小猫咪还挑三拣四。挑剔的爬行昆虫只生活在特定的地域—— 有些喜欢沼泽，有些喜欢林地。勘察他们发现古代甲壳虫的地方，考古学家能够对这个地带的情况了解一二。

3. 错。化石要经过成千上万年才能形成。考古学家发现的任何一块化石，都可能追溯到这个地区还无人生存的远古时代。

4. 对。通过坚硬有效的包裹保护，花粉能够历经几千年。因为每一种植物孕育不同形状的花粉，因而你就可以通过花粉搞清过去这个地区的植被了。同时生物（像昆虫）也挑剔它们的生存环境，因此你也可以推断出当地的地貌和气候。

那是聪明的做法吗？——不然又如何？

激动人心的时刻到了……就在下面这些书页中，一项考古发掘正在进行！实际上，当我们阅读这本书的时候，它就在着手实施，而你就是现场的第一个见证人！生活中的留意开始于……

逝去的学校

第一部分：麻烦重重的洞孔

基尔默学校是个不起眼、很沉闷、一般化的学校……

当然，疯狂的小伙子，严酷的老师，它都有份儿，但是，哪所学校不都一样？在基尔默学校读书的孩子中间，有三个哥们

儿：奥斯华德、克莱尔和汤姆。他们的老师包括班主任斯耐普先生、英语老师米克小姐。

但是可怕的事情就要发生了。一个令人震惊的秘密就要揭开了。它开始初现端倪，是在奥斯华德遭遇到一件尴尬的意外事件的那一天……

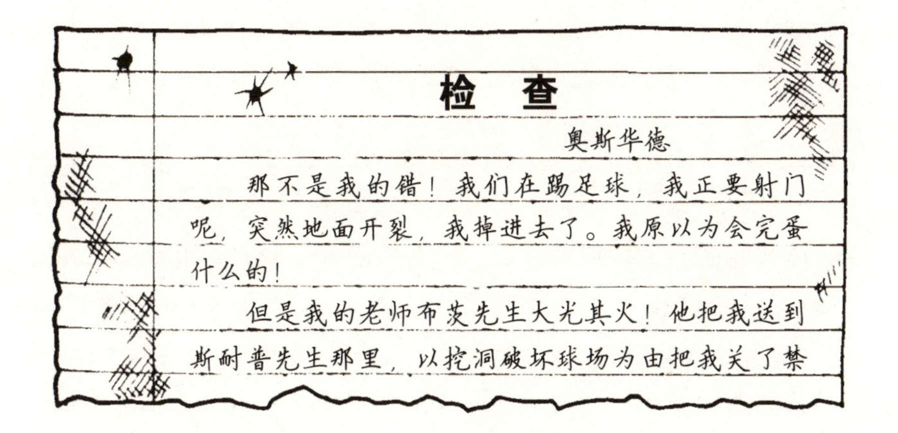

检　查

奥斯华德

那不是我的错！我们在踢足球，我正要射门呢，突然地面开裂，我掉进去了。我原以为会完蛋什么的！

但是我的老师布茨先生大光其火！他把我送到斯耐普先生那里，以挖洞破坏球场为由把我关了禁

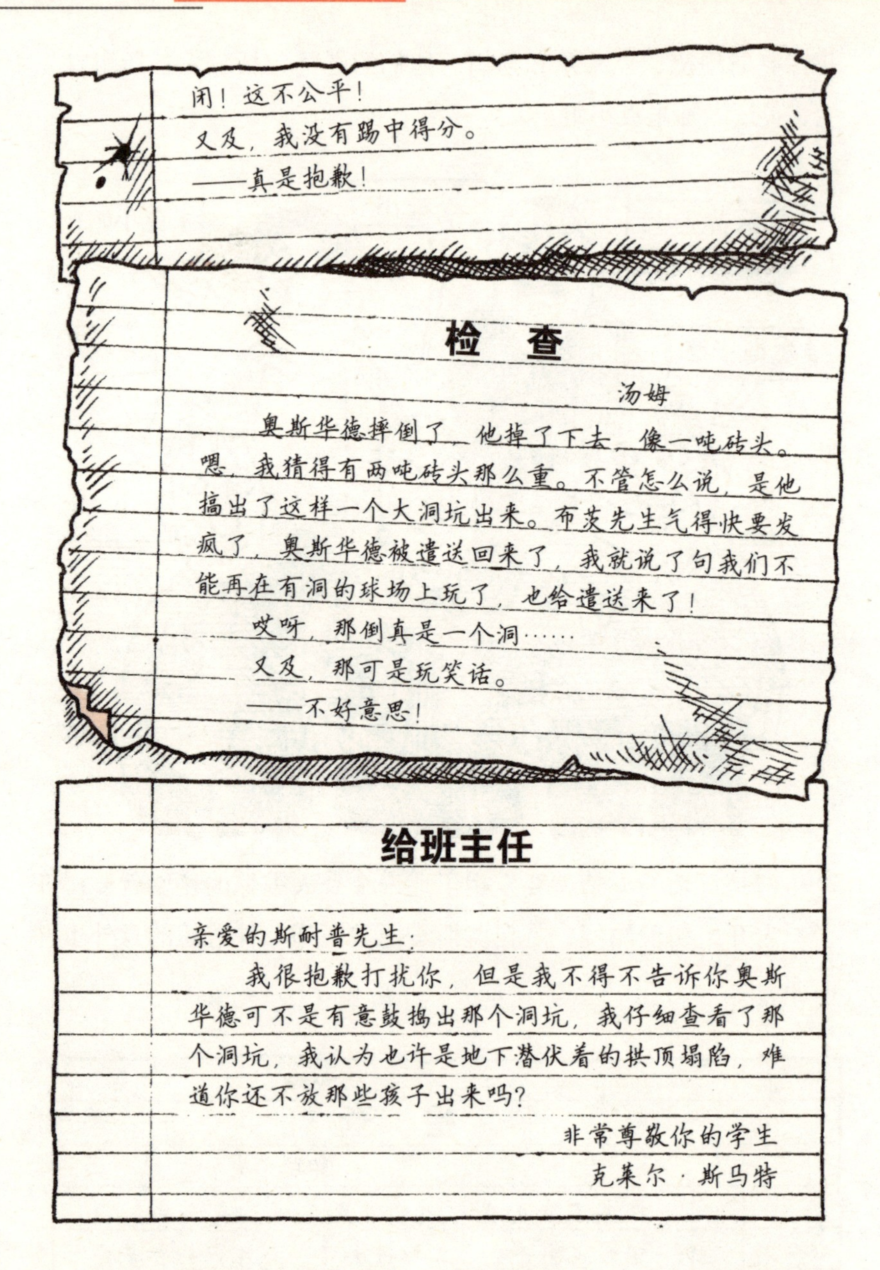
闭！这不公平！
又及，我没有踢中得分。
——真是抱歉！

检　查

汤姆

奥斯华德摔倒了，他掉了下去，像一吨砖头。嗯，我猜得有两吨砖头那么重。不管怎么说，是他搞出了这样一个大洞坑出来。布茨先生气得快要发疯了，奥斯华德被遣送回来了，我就说了句我们不能再在有洞的球场上玩了，也给遣送来了！

哎呀，那倒真是一个洞……

又及，那可是玩笑话。

——不好意思！

给班主任

亲爱的斯耐普先生：

我很抱歉打扰你，但是我不得不告诉你奥斯华德可不是有意鼓捣出那个洞坑，我仔细查看了那个洞坑，我认为也许是地下潜伏着的拱顶塌陷，难道你还不放那些孩子出来吗？

非常尊敬你的学生

克莱尔·斯马特

学校里频频地传播着谣言，说是斯耐普先生力主用水泥把洞坑填了。但是有人（他名字的第一个字是“克”）已经给当地的文物局透露了消息。无论如何，第二天，一队考古学家要来检视这个神秘的洞坑了……

考古学家

第格拜教授查看了一会儿洞坑，她眉头紧皱，若有所思地擦了擦眼镜。

“嗯，”她说，“我想我们正在接近第一批基尔默学校的文物，就我研究所知，它就在这附近的什么地方。”

“妈呀，那可真令人振奋！”凯温高叫着，“我等不及拿探测棍探察了！我们立刻动手开挖吧，教授！”

教授责备地看了他一眼，“凯温，不是告诫你不要莽莽撞撞的吗？我们首先要做全面的地质学调查，还有遗址发掘报告。”

“噢，对不起，教授，我忘了。” 凯温低声咕哝。

“我现在就开始测量。” 诺曼说着，双手在他永远不会干净的工作服上抹擦了一把。他从兜里摸索出一些线绳、卷尺和铅笔头。

“不要着急，得有条不紊！” 山姆挥动着手机，“搞地球物理学的人正在路上，我已经为调查预订了全球定位系统！”

凯温嘴里咕哝着这种新技术的名称。

汤姆完成的历史学作业

调查遗址

考古学家发现了一个遗址。我在图书馆读到有关它的书，据说在我们的操场上，原有一个老学校。它由一个叫做玛格内特·基尔默的老女人创建，孩子们叫她“独眼玛戈”，她因为过于严厉苛刻被解聘了。

B等，写得好！

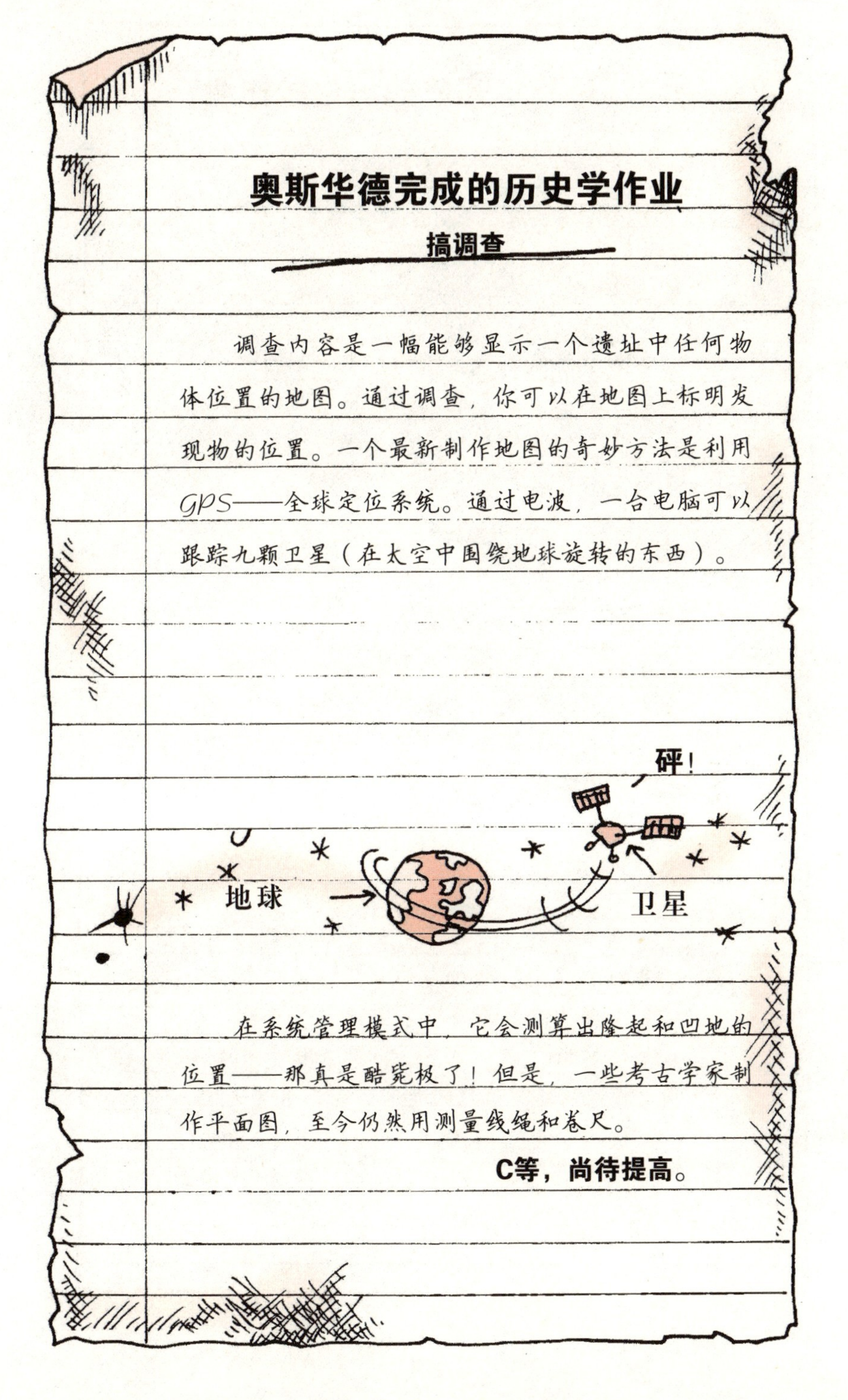

奥斯华德完成的历史学作业

搞调查

调查内容是一幅能够显示一个遗址中任何物体位置的地图。通过调查，你可以在地图上标明发现物的位置。一个最新制作地图的奇妙方法是利用GPS——全球定位系统。通过电波，一台电脑可以跟踪九颗卫星（在太空中围绕地球旋转的东西）。

在系统管理模式中，它会测算出隆起和凹地的位置——那真是酷毙极了！但是，一些考古学家制作平面图，至今仍然用测量线绳和卷尺。

C等，尚待提高。

克莱尔完成的历史学作业

地球物理学

考古学家运用地球物理学非常广泛。

电磁学

据我用零花钱买来的考古学期刊所示，一种仪器可以测试出环绕地球的磁力线断裂的情况。造成这种结果的原因，是掩埋的墙、沟、坑，以及像古老的壁炉那样燃烧过的地带。

电阻系数

考古学的百科全书（2000年版）声称，一种电流在土壤中传导。如果电流传导得相当容易，那里曾经就可能是被填实土壤的洞坑和壕沟，而较少石头；如果电流遭遇阻碍，那就可能是掩埋了石头的墙壁。

穿透地层的雷达

在因特网上有很多有关它的资料，对此我想下额外的工夫。这种雷达向地下发射一种电波，碰到掩埋的墙壁后会反射回地面，电脑根据反射结果绘制出它们的位置。问题在于你可能发现，所谓掩埋的墙壁有可能是真实的下水管道。

A等，太棒了！

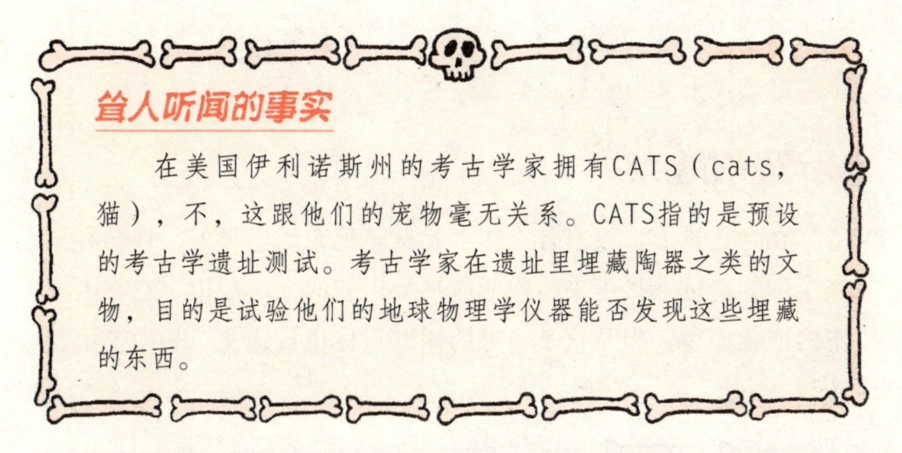

耸人听闻的事实

在美国伊利诺斯州的考古学家拥有CATS（cats，猫），不，这跟他们的宠物毫无关系。CATS指的是预设的考古学遗址测试。考古学家在遗址里埋藏陶器之类的文物，目的是试验他们的地球物理学仪器能否发现这些埋藏的东西。

现在回到基尔默学校……

从事地球物理学的人来了，他们忙着鼓捣仪器。利用全球定位系统，山姆用她那工艺品一样的笔记本电脑制作出纯粹的遗址平面图。用地球物理学软件支持的电脑打印出来的平面图，线条清晰，给每一个人都留下了深刻印象。

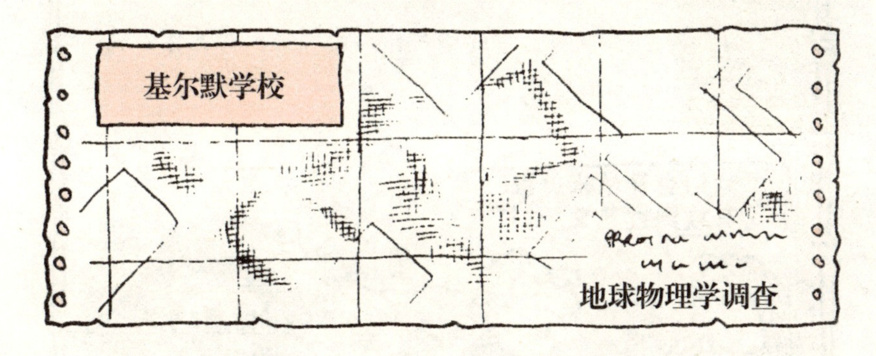

“天哪！”凯温说，“你可以看到墙和其他任何事物！还有另外一垛墙与它们交叉。”

“那是水管子。”教授说。

“我等不及了，想动手开挖了。”诺曼很兴奋地说，“这个遗址看起来像爆竹！”

“好了，”教授说，“我认为我们应该在这里和这里挖成三角形壕沟。”她在打印图上标示出两条直线。

当然，谁能想到，在地表之下，还有浇注的死尸？

继续读下文……

搞清你的遗址

在考古世界，没有什么东西是一览无余的。那好，你已经调查了你的遗址，接下来尽你所能计算出它的大小规模，它在土壤下的形状面貌。但是这个遗址的用途，你也许还丈二和尚摸不着头脑……

耸人听闻的事实

在加拿大康沃尔，一个有3000年历史的隧道，它顶头是堵死的。也许是学校的孩子们开挖的逃跑的隧道，也许是地下太妃糖式（可以拉成长条式的东西——译注）的矿井？就像这条隧道一样，两种推测都把你带进了死胡同。

最终，总有一种方法能帮你解开谜团，那就留待下一章了。对肮脏的小东西，你有防备吗？

规模庞大的发掘

考古容易得像打嗝。挖一个洞，把那些无价的古董捞出来，安放在博物馆就万事大吉。然后你就可以饱餐一顿，剩下的这一天可以翻翻动画片什么的。

考古学家并不挖洞，他们一步步地启开一部分遗址，但是他们没有“捞”到什么，而是小心翼翼地把精致的文物请上来。这可是个慢活儿，充满艰辛。为了计算出遗址的平面布局，很多考古学家一开始只谨慎地开掘出一小块遗址，这也并不奇怪。那么，在基尔默学校的发掘是如何进行的呢？

我们赶紧去看看，看能发现些什么……

逝去的学校

第二部分：碰碰肋骨，看看动静

“邪啦！”凯温说道，“我可以动手了？好嘛教授，我会好好表现的——要是没有腿什么的，我不会鲁莽开车的！好—不—好！”

第格拜教授不容置疑地摇了摇头：“不，凯温，开挖土机，你没有资格。因为你没有开这种机器的驾照……”

正在这时，班主任老师加了进来。

“像你答应的那样，你们会把所有的东西都复原成本来的样子，是吗？”斯耐普先生带着怀疑，“你们知道，草皮可是很贵的。”

教授看起来有点儿不耐烦了。

“当然，我们会的——我们揭开表层土，是为了抵达考古地层。这是最快捷最简便的方法。”

司机发动了机器，马达声淹没了大家的争论。

今日考古

2001年10月

追溯学校源头！

赫尔格·第格拜教授率领的考古队正在发掘基尔默学校遗址。教授声明：“发现一所没有被推倒并得到重建的早年学校，情况不一般。对我们所有人都是一次学习。”考古学家们制订了周全的发掘计划，并且他们已经发现了几段残余的墙壁。

“教授！”诺曼在壕沟中大声叫喊，“我认为我们已经发现了孩子们描述的石板了。”

“嗯，有意思。”教授嘟哝。

“看这儿，” 诺曼兴奋地说，“这些木结构的人工制品依旧保存完好——它看起来像一根拐杖。”

教授小心翼翼地度量了易碎的木头的长度，并从把柄上刮擦掉一点儿泥土。

“我觉得是根教鞭，诺曼，可能是用来抽打学生的。”

此时，从第二个壕沟传来了一声压低的尖叫。

所有人都跑到凯温蹲伏的地方。他叽里呱啦的，指着泥土中的一个东西……

“我，我，我……”他结巴着说。

“你怎么啦？”教授忍不住问。

“眼、眼球！”他叫道，手指着一个小小的圆东西，一阵乱舞。

“胡说八道！”教授跪下去仔细检查后，坚定地说。那东西又圆又硬，奶油色，是玻璃做的，一面画着图案，看上去像人的眼睛。

“噢，想想吧！”诺曼哧哧地笑，“一只古老的玻璃眼睛，在地里我还从没有看见过这样的玩意儿。但是我更喜欢那个……”他指着壕沟一侧那个褐色的土堆，“我认为是一具骷髅。”

“骷髅！”凯温从壕沟里跳出来，像婴儿在他的澡盆里发现了一条小鳄鱼。

正在这时，一个穿着时髦的家伙跑进了大家的视野，她那金黄色的马尾辫在跳荡……

“好啊，伙计们，”山姆说，“我有消息带给你们！”

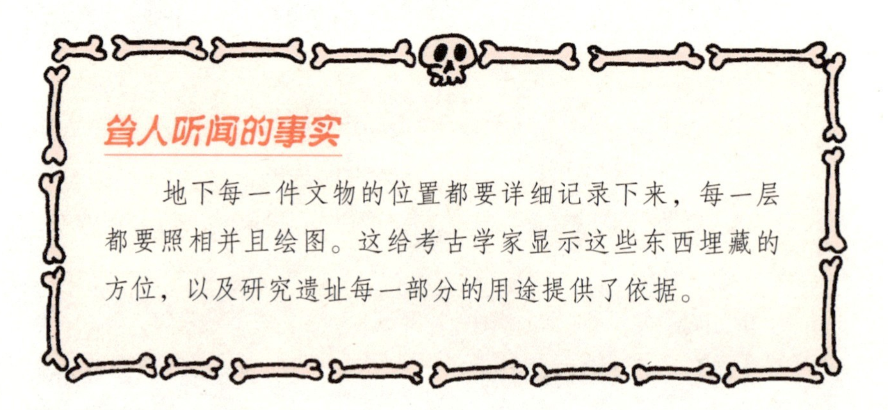

耸人听闻的事实

地下每一件文物的位置都要详细记录下来，每一层都要照相并且绘图。这给考古学家显示这些东西埋藏的方位，以及研究遗址每一部分的用途提供了依据。

可怕的发掘测验

1. 1915年，考古学家J.C.德鲁普（这是他的真名）写了一本考古学著作，他说，男性和女性考古学家不能一起发掘……为什么？

a）因为在热天，男人有臭味。

b）因为男人会大汗淋漓，那会吓着女士的。

c）因为女人就该守在闺中。

2. 在美国华盛顿州的奥泽特，是什么动物袭击了考古学家？提示：这不是一个水下的遗址

a）熊

b）仓鼠

c）水母

答案

1. b）你妈妈再次说粗话了，告诉她！幸运的话，她会说出更多来！

2. c）啊哈，中圈套了！考古学家动用消防水管，抽出海水冲洗古代美国土著村庄的遗址。这时一只水母从水管中射出来，在岸上袭击了考古学家！

自己动手……你自己的发掘

你也有机会动手搞一些小考古（对恐怖的海底生物可要心中有数）。

你需要的是……

一块地。首先如果你获得许可开挖，它会帮你。然后要确定它不是在南瓜地中央，也不是玫瑰的花圃，更不是置放你爷爷折叠躺椅的地方。

- 园艺手套
- 一把铁锹
- 一把大绘图刷子
- 铅笔和笔记本

你要做的是……

1. 戴上园艺手套以防细菌感染。确定每一道伤口都要包扎好。

2. 轻轻地挖入地层，要注意不能在洞孔的任何一个部位深入发掘。发现了东西，要用刷子把四周的土刷掉。

3. 绘制一幅洞孔的平面图，显示发现物的位置和不同的地层，你可以借此测年断代……

不要一带而过，除非你阅读这一点：发掘完毕后填实它。要是你的小弟弟或者小妹妹掉进你挖的坑中，你就会麻烦缠身，无法自拔。

有人提到约会吗?

没有。我们并非在意发掘灰暗的尘垢——考古学家们的隐私，和男友或女友的那些绯闻。你并不想翻开这样一本值得尊敬的图书，却读到这样一些乱七八糟的东西，是不是啊?

开个玩笑，考古测年（date，有另外一个中文意思：约会）指的是检视不同地层中的文物，推算出地层的年代。仔细瞅瞅这个壕沟中的地层泥土。（随便提一句，你不可能在一个壕沟中发现所有东西，是呀，除非你开挖的是一座博物馆！）

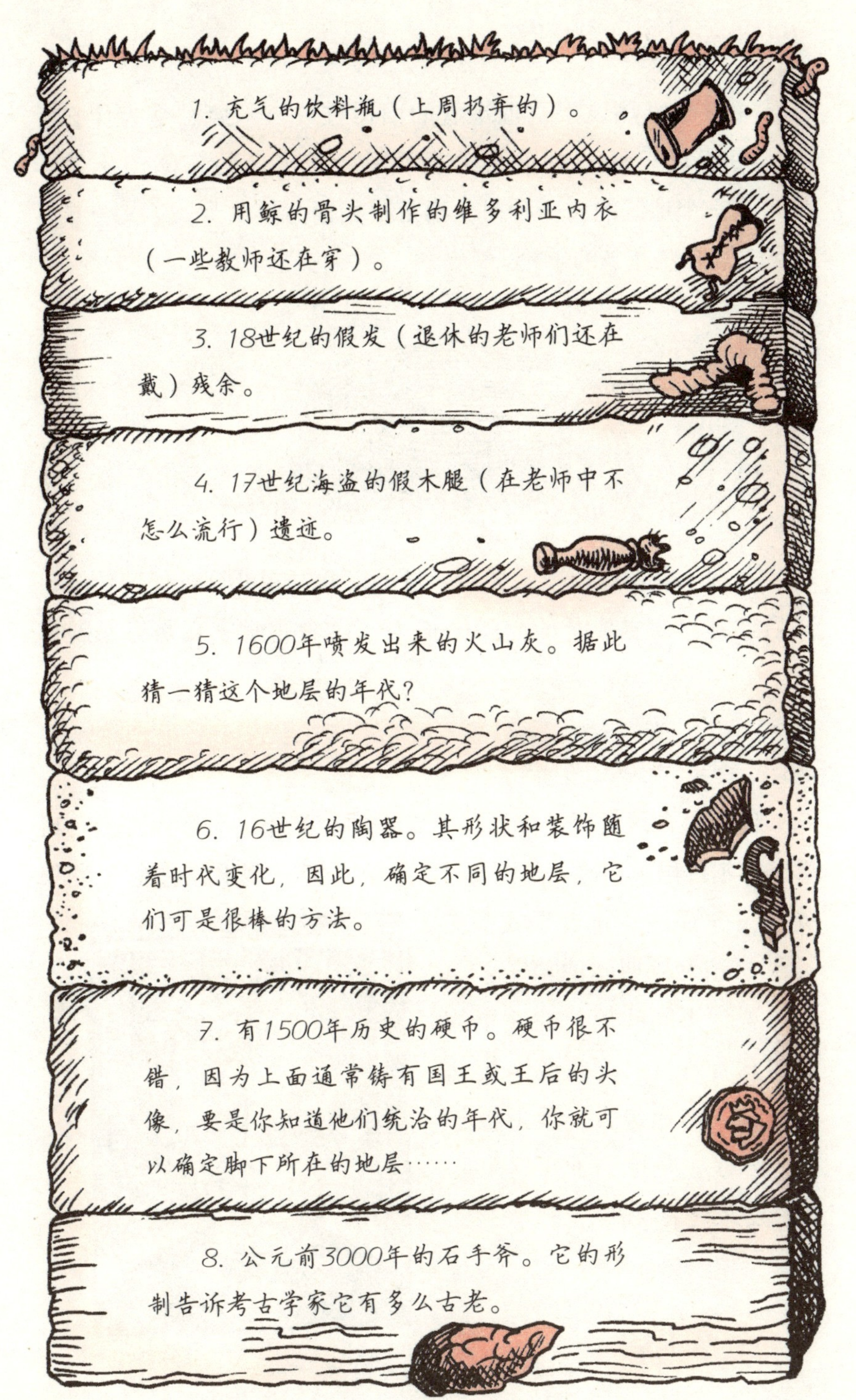
1. 充气的饮料瓶（上周扔弃的）。
2. 用鲸的骨头制作的维多利亚内衣（一些教师还在穿）。
3. 18世纪的假发（退休的老师们还在戴）残余。
4. 17世纪海盗的假木腿（在老师中不怎么流行）遗迹。
5. 1600年喷发出来的火山灰。据此猜一猜这个地层的年代？
6. 16世纪的陶器。其形状和装饰随着时代变化，因此，确定不同的地层，它们可是很棒的方法。
7. 有1500年历史的硬币。硬币很不错，因为上面通常铸有国王或王后的头像，要是你知道他们统治的年代，你就可以确定脚下所在的地层……
8. 公元前3000年的石手斧。它的形制告诉考古学家它有多么古老。

考古学的进步

考古学家热衷于检视难看的旧树桩或碎木屑。是为什么？哦，每年夏天每一棵树在树干外围就长出新的一圈（称做年轮）。一个地区的同一种树长出数量相近的年轮，一年又一年，它们形成形状相当的年轮。

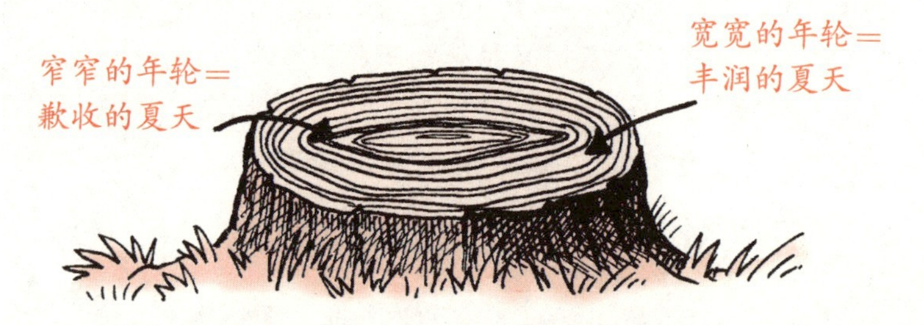

考古学家通过比较大树干年轮的形状，用计算机处理数据，然后推算出树木成长的时间——对了，考古学家真是旁逸斜出了。

引人注目的放射性碳元素

你如果在研发原子弹，这个奇怪的念头一定会令你震惊。科学家威尔拉德·利比（美国化学家，1947年研制出放射性^{14}C测年技术——译注）正着手攻关第二次世界大战期间的原子弹，他意识到不同的放射性原子的衰变有着各自可测量的速度。你知道，炸弹包含了放射性物质……喔，坚持一下，这里确实有点儿复杂难懂……

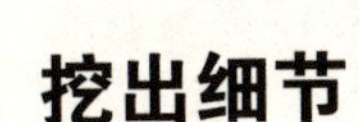

挖出细节

名称： ^{14}C

基本事实：

1. ^{14}C是一种放射性碳原子，它存在于所有的动植物中，且每一个^{14}C原子均能释放出能量，慢慢地衰变。

2. 威尔拉德·利比计算出采样中^{14}C半衰期大约需要5568年。

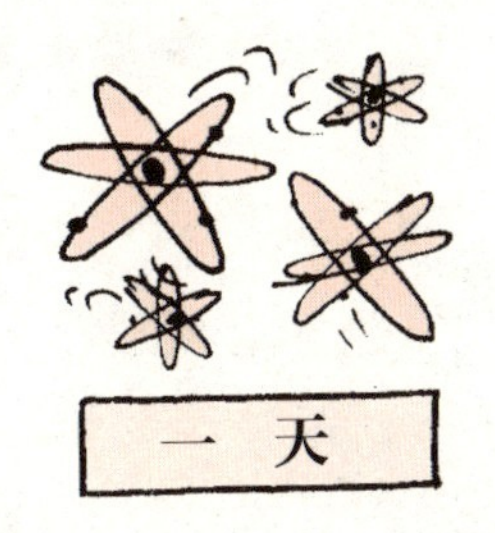

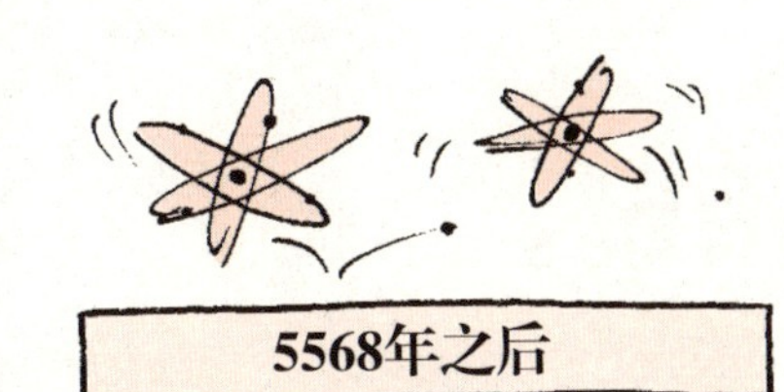

3. 越来越多的原子解体了，采样就释放出越来越少的能量。通过测量一根难看的旧骨头的能量，科学家可以推算出原子解体成碎片的时间，这就可以告诉他们这块骨头的年岁——聪明吧，哎？谁知道呢，这门技术也许要在你的老师身上一试身手！

细枝末节

1. 自从研发出放射性碳测年技术，全世界的考古学家都邮寄给威尔拉德·利比一袋袋的古木，希望确定它们的年代。

2. 要是一件东西超过了12.5万年，你就不能依据^{14}C进行测年了，因为所有的放射性原子都解体了。比如，要测定你们学校晚餐中发霉的李子干，这个方法就无能为力了。

迄今为止，你所知道的是，考古发掘不费吹灰之力。你开挖——好，非常小心——并记录你的发现。除了卷入其中的烦人的测年，总的来说还是美妙无比的。想得美！考古，驾驭起来很吃力呢——请读读这个！

考古噩梦

下面这些意外的事故或许能把你的工作搞砸的。

1. 狡猾的兔子可能吓坏考古学家。小兔子们在遗址内打洞，它们弄乱考古地层，迷惑发掘者。考古学家以为，两层不同的火石工具意味着史前的人们生活在不同时期的遗址上面。随后有人指出，分散在两层的断裂了的工具，却完全吻合配套，说明它们原本是在同一地层的。他们无意中被小兔子们搞得晕头转向了。

2. 在很多炎热的国家，毒蛇盘踞在遗址上面。在特洛伊，谢里曼发现了数百条致命的毒蛇。除此以外，巨大的毒蜘蛛也潜伏在热带遗址里——我敢打赌，它们定会令你毛骨悚然。

3. 瓢泼大雨将会给考古学家带来不利后果。如果壕沟中洪水泛滥，物品会被冲出泥土，你就无法记录它们出自哪一个地层了；为了寻找有价值的小东西，考古学家弄得浑身像个泥猴，最后还不得不用海绵和茶匙清理壕沟。

4. 洞窟中的遗址危机四伏。有些地方通风不好，真的可以令人窒息——进入那里可是九死一生！哦，洞顶也可能塌陷，发生灭顶之灾——我希望你不要一门心思只想着打洞。

5. 石器时代的人们留给考古学家的东西很少，除了一些骨头和石器（那就是所谓石器时代的由来）。绝望的考古学家们筛拣挖出来的一捧捧肮脏的泥土，以期有微末细小的发现。

6. 在1940—1949年间，伊拉克考古学家弗雷德·萨法和劳埃德发掘了11座神殿的遗址，其中一座建筑在另一座的废墟上面——神殿由土砖垒成（在中东一带被太阳晒硬的土坯被人们当做砖来使用）。砖看起来（你怎么猜的？）更像泥浆，因此，考古学家不得不趴在尘埃中，用他们的指尖去区分土砖和泥浆。

7. 可能会面临被偷盗的危险。1877—1878年，在伊拉克的一处遗址，4万个写字板被劫掠了（这是些用来写字的土板，不是治疗头疼的药片。提醒你，强盗还真让人头疼）。1959年，在尼日利亚的一座古墓里，考古学家瑟斯顿·肖发现了美丽的青铜雕塑，为了安全保存，他把它们藏在床底下——但是那并不能阻止有人企图把雕塑偷走。

8. 纵深的壕沟可能坍塌，把考古学家活埋。为了安全，壕沟一定要用金属支撑，否则，就挖好阶梯，以便于发掘者及时逃生。

9. 任何一个壕沟都可能存在危险。1912年，伦纳德·伍利在叙利亚发掘时，一个工人偷偷摸摸钻进一条壕沟内吸烟，固定在壕沟边上的大石头突然掉到他的脑袋上，砸死了他。这证明吸烟真的很危险……

耸人听闻的事实

约克郡的考古学家发掘出一条罗马下水道，你知道其中都有些什么吗？在厕所附近，他们发现罗马时代死去的苍蝇，另外还有一些谷物甲虫，显示这个下水道曾被倾倒过谷仓的废物。你要不要自愿参加这个发掘，那是不是有些强人所难？

失传的传说小测验

有关发掘，还有一项有趣的事情，那就是考古学家有时可能研究古老的传说。

下面这些故事，哪个真，哪个假？

1. 在泥浆中弹跳

按照罗马作家阿依留斯·亚里斯泰迪斯的说法：

> 我和两个朋友到帕加马的一座神殿去。正值冬天，我们感觉很不舒服，但是教士说上天的神要我们在泥浆中打滚，围绕着神殿跑三圈，并且在冷彻骨髓的喷泉中跳跃！天啊，弹跳（spring，另有含义喷泉、春天——译注）的快乐——我难以想象！

2. 死亡之井

位于墨西哥奇琴伊察的古代井坑，是用来献祭的。当地的托尔特克统治者（公元10—12世纪在墨西哥占统治地位的印第安人—— 译注）的巫师把漂亮的姑娘扔到井坑里，淹死她们。

答案

1. 真。阿依留斯尝试了这种疗法，并感觉良好——但是他的一位朋友却不得不被带到浴室去除霜。你能想象这种疗法吗？

考古学家在发掘神殿时，发现了喷泉和浴室，正如阿依留斯描述的那样。

2. 假。美国无畏的考古学家爱德华·汤普森（1856—1935）在1909年下潜到幽深的井水中，他被震破了耳膜，也只找到一些发霉的骨头。

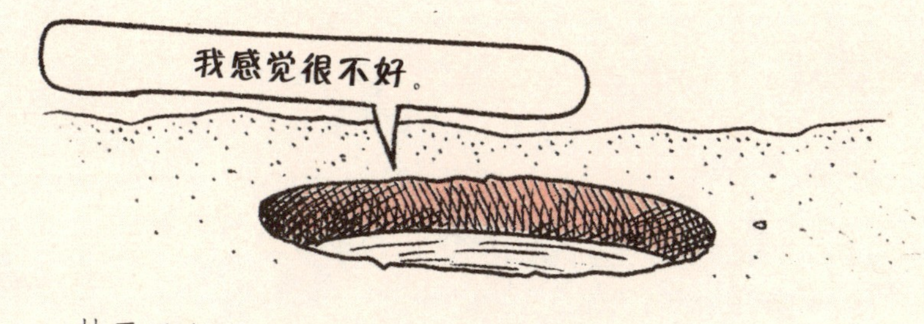

抽干了水，汤普森发现，任何时代都有人被扔进水中的事情发生，到托尔特克人离开遗址时，被扔的人就更多了。托尔特克人这么做的目的是要为他们的神奉献珠宝。对了，对了，真怪呀……

甚至还有一些水底更为可怕，相比之下你宁愿自己被送回死亡之井。我说的是海底，冰冷而幽暗的水体，洋流会把你冲散，鲨鱼会把你当早餐！

请试着想象你潜水进入下一章。

幽暗的水下考古

1879年，一位名叫欧度·布朗德威的勇敢的牧师，钻进一套橡皮衣服里，脑袋上扣着重重的金属头盔，依靠一根塑料管呼吸，他下潜到非常幽暗的苏格兰海湾。他看上去还真行！

牧师是水下考古的先驱——这里指的是在水下（不要吓晕）开展考古工作！哦，你知道这是怎么回事吗？

啊，但是你知道水下的所有细节吗？

挖出细节

名称： 水下考古

基本事实：

1.如果在水面拖着一个橡皮管，发掘工作就很难进行，那就是为什么在1942年水肺发明以后，水下考古才有稍许进展的原因。

2.水肺通过连接到面罩和口罩的气缸，使人可以在水底呼吸空气。

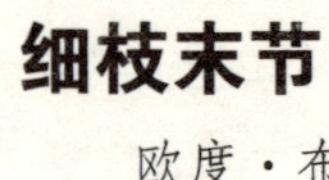

细枝末节

欧度·布朗德威研究被淹没的聚居地的遗存——有着1500年历史的湖底住宅。一天，狂风呼啸，欧度感觉有个怪物在追赶他——喔，我猜想他是怕被咬死！他吓坏了，放弃了潜水。原来那是尼斯湖水怪的绝招儿……

好！把他吓跑了，再去吓唬其他人！

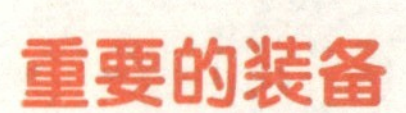

重要的装备

要成为一个装备精良的水下考古学家，需要以下物品装备自己。

奇怪的词儿

答案

1. 不，可不能那么说。那是“空运”，在考古学家们那里描述的是一种机器，利用压强，用管子把沉船四周的水和泥沙抽出来。

2. 不，一次“大清洗”指的是利用船只推进器把清水从水面压到水底。在那里，可用清水冲洗沉船上的泥沙和淤泥。

水下小测验

水下考古是一项可怕的工作，这里正计划打捞宏伟的大帆船残骸，步骤如下：

你要做的，就是把它们重新排好顺序。

d）利用水下雷达和磁表绘制沉船方位地图。

e）翻阅以往的资料，确定沉船事件名以及沉没地点。

答案

1. e）在查询之前，要知道去哪里找资料。它会告诉你船只沉没的地点以及装载的货物。

2. b）安全最重要。你要知道潮汐和洋流是否促使沉船漂移了海床。

3. d）这些可以帮助你找到沉船的位置。它可能完全掩埋在泥沙和淤泥之中。

4. c）绘制发现物的方位，这对那个其实已经散架了的沉船非常重要。

5. a）千呼万唤始出来！问题才真正开始呢（你要不相信，自己往后看吧）。

深潜的麻烦

水下考古听起来魅力无穷、充满了诱惑，但实际上它是一项繁重而危险的事业，这里就有一些事情容易出错……

1. 海底考古可不便宜。你所有的装备或买或租，最重要的是还得租一条船来下潜。当你抵达地点时，偏偏天公不作美，下着暴风雨，还有危险的潜流。如果那样，甚至没有人愿意冒险下水，白白耗费所有昂贵的装备。

2. 有时候水体很浑浊，很幽暗，潜水员根本看不清任何东西。考古学家在对宁波的一艘沉船进行发掘时，他们什么都看不见，只好靠触摸去发现数千吨货物，包括28吨中国硬币。哦，这样他们就有足够的零钱去乘公共汽车了。

3. 你沉潜得越深，空气中一种叫氮的化学物质就在你的血液中积累得越多。如果你上浮得太急，氮就会形成气泡，梗塞血管而置人于死地（这种状况叫做“潜函病”）。从深水底浮出水面唯一安全的办法是一步一步缓慢上升，呼吸纯氧，逐步排除体内的氮气。你想想潜水与气体有关……

说到危险，读完下面的故事，你的鼻子会像水下通气管一样呼噜作响。

死亡洞穴

亨利·科斯奎有一个秘密。它是那么令人难以置信、意想不到且充满危险，以致人们揭开它就会死去。也许最糟糕的事情已经发生。该是澄清事实的时候了……

“没有消息？那好，要是他们发现什么，赶紧给我打电话。”海岸警卫队队员骂骂咧咧地摔掉电话，他深深地吸了口气，眼睛警惕地望着亨利·科斯奎。

“我知道你想对我说什么，科斯奎先生。跟失踪的潜水员有关是吗？好的，我们都在忙着搜寻，你最好赶紧点儿，尽管……”

“先生，那我就长话短说，”亨利很平静，“我想我知道他们在哪儿。”

“你知道？那好，告诉我——他们在哪儿？！”

亨利举起手：“我很遗憾，潜水员全死了。”

海岸警卫队队员痛苦地叹了口气，然后点了点头：“这我知道！到现在为止他们的空气该用光了。你最好把你知道的全都告诉我。”

亨利犹犹豫豫的，但是他晓得，他只能说明真相，他必须过这一关，没有其他的出路……

“大约6年前，我在摩基苏海岬潜水时，发现了一个水下洞穴。”

“你没有告诉任何人？”

“没有。洞穴是个隧道迷宫——有人会在里面迷路，并会因为缺少空气而窒息，然后……”亨利强迫自己停下来，努力思考。或许，其他都可以坦白，但他要守住这个秘密，他在琢磨如何措辞，“……然后……我想太危险了，还是不要告诉他人。要是人们到那儿去，他们必死无疑。”

海岸警卫队队员猛然醒悟：“因此失踪的人可能在那里。而你却很高兴跟我们炫耀这个洞穴，是吗？”

没有等他答话，海岸警卫队队员抓起电话，开始拨号。

“就这儿了！” 亨利用压过海岸警卫队船只马达声的声音高喊。柴油机喷出一股气，马达轰鸣起来，他们听得见波浪激荡石灰岩峭壁的声响。亨利和其他两名潜水员做完潜水之前最后的检查。海水看上去很幽深，一片暗绿。他们翻下船舷，溅起了很大的水花。他们开始潜泳，亨利打头。

亨利永远也不习惯潜水那种异样的感觉——海面上的波浪和声音都喑哑了，消失了，只剩嘴角冒出的气泡的爆裂声，光线从白花花转为黄昏的幽蓝。到了，就是那儿了——他指了指悬崖峭壁。

于是，亨利想象着在里面将发现些什么，他的心开始咚咚地跳……

先前他来过好多回，但总是一个人。要是还能那样就好了！三个人打开灯，从洞口蠕动进去。里面一片漆黑，在因搅动而汹涌着的黑云般的泥浆中，他们的灯忽明忽暗。隧道曲里拐弯，很容易就会迷路的。亨利想起失踪的潜水员，一阵战栗。令人遗憾的是，没用多久，他们果然被发现了。

亨利的灯照到了一个人身上，然后又是两个人，像喝醉酒似的在水中摇摆，很显然已经死了——他们迷了路，并用光了氧气。亨利努力不去设想他们最后那恐惧而手忙脚乱的情景。现在，问题出来了。更多的人会尾随而至，很快就会发现洞穴最后的秘密了。要是现在亨利揭穿它，情况也许会好些吧。对，不能再拖了……

亨利示意另外两个人跟着他，并绕过死尸。他努力不去看他们那空洞的眼神和苍白而紧握的手指。在通道的顶端，岩石中有一道裂缝，看起来像一个死角，但是它通向另一个通道——它是那么窄，你只能像鳗鱼一样蠕动前行。似乎经历了漫长的路程，眼前突然豁然开朗，他们进入一个魔幻般的水下仙境。黑暗中，亨利看见像匕首一样下垂的钟乳石。

这是一个被淹没的洞窟。

在洞顶附近，有一线光在晃动，亨利向它游去。他浮出水面，取掉了面罩，深深地呼吸了一口1万年前被海水堵死的冷空气，然后，他举着灯照向四壁。另外的两人加入了进来，他们的嘴因惊奇张得大大的。由于震惊，他们大声喘着气，其中一个说：“简直难以相信！”

洞壁画满野兽，活泼生动。有一头画成赭红色的大公牛，弓着背。鹿群在草地上跳跃奔逃，马匹快速飞奔，一只海豹扭曲着，肋间中了一支梭镖。最奇特的是，他们看见一只勾勒的血红的人手，高举着表示欢迎，宛如昨天画上去的。

这就是埋藏在亨利心底的王国——一座有着2万年历史的艺术画廊。每一天，这个潜水员都渴望潜回用眼睛享受这美轮美奂的动物绘画。但是现在他不得不透露给他人，秘密给揭穿了。亨利感到很难过，因为这个奇妙的地方再也不属于他一个人了。

但是这壁画是真的吗？你会怎么想？

a）不要笨啦！没有潜水设备，

石器时代的人们是不可能到达这个洞穴的。亨利·科斯奎是一个卓越的艺术家，他是为了好玩儿自己画上去的。

b）石器时代的人们发明了水底潜水。考古学家猜想，他们呼吸的是在猪猡那难闻的尿泡里封存的空气。

c）这个洞窟实际位于干爽的陆地，但是海面上升，把它淹没了。不过壁画却保存得完好如初。

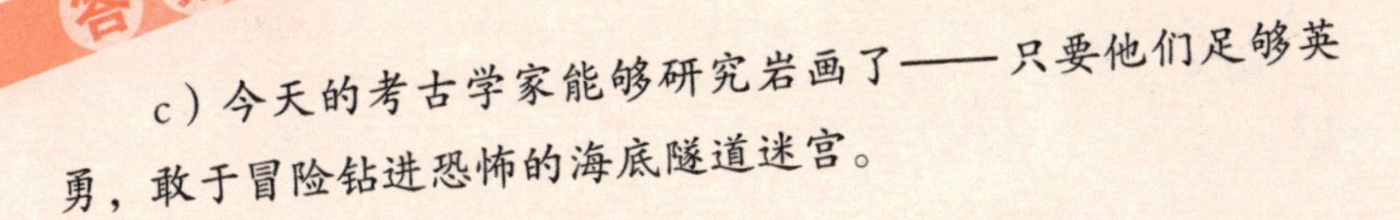

c）今天的考古学家能够研究岩画了——只要他们足够英勇，敢于冒险钻进恐怖的海底隧道迷宫。

易碎的发现物

1. 水下考古学家已经抢救了一些神奇的物品。1970年潜水员打捞了“五月花”——350年前沉没的英国船，在其中发现了大量的木制品，包括外科医生在锯掉病人大腿时用来打昏人的棒槌。要是这个稀奇的玩意儿拍卖的话，它能值一条胳膊和一条腿呢。

2. 一个潜水员发现水手的午餐——猪肉残渣。猪肉腐烂了，滴着黏汁。因此，这个潜水员的身上闻起来很酸臭，以至于没有人愿意和他坐在一块儿。

3. 木制品发现物总是很让人头疼。如果木头干了，就会缩水，破裂，甚至化成粉末。保存它的唯一办法是在水和化学溶液中泡上几个月或几年，再花几年时间从海床上捞上来。为了保存遗迹，“五月花”的残骸还得浸在水中。

4. 300多年后，瑞典船“瓦沙”于1961年被打捞起来，它的船体完整，只是成了1.4万块零散的部件。面对这些木料，你是不是想放弃了？

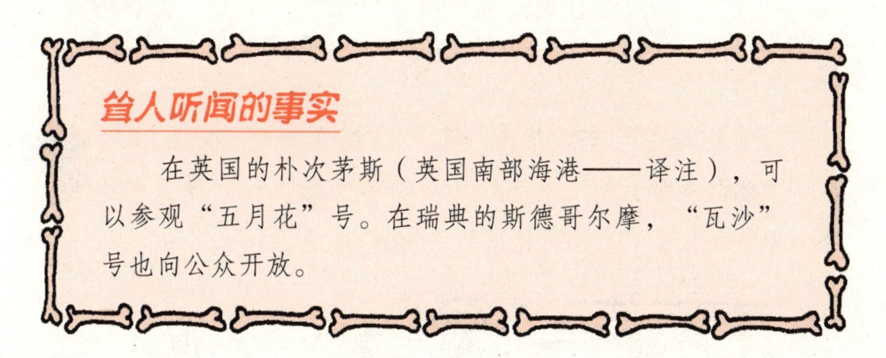

耸人听闻的事实

在英国的朴次茅斯（英国南部海港——译注），可以参观“五月花”号。在瑞典的斯德哥尔摩，“瓦沙”号也向公众开放。

水下考古的一些好消息

好了，水下考古艰苦而危险。但是至少，你不会碰到太多吓人的景象。死尸已被海洋生物吞食掉，骨头也腐烂了。但是在干爽的陆地，你就没有那么好的运气了，坟包累累，包裹着远古死尸腐烂而成的汤汤水水。

没有什么可怕的，壮起胆准备翻看后面恐怖的……

欢迎去“骨头地带”！

阴森的坟墓

为死尸修建一座雄伟的坟墓，实在是莫名其妙。我的意思是，谁要住在那儿呢？他们会为此心存感激吗？为什么不随便挖个坑埋进去就算了？那可是很省事的啊！

啊哈，也许人们觉得死去的亡者需要体面，这倒是让寻找文物的考古学家感恩戴德了。过去很多人都相信有来生，他们认为亡人得带上大大小小的殉葬品，像什么食物呀、衣服呀、武器呀、陪葬的奴仆呀，也许还有家里的宠物……

耸人听闻的事实

哦，对啦，那是真的。杀死宠物，并埋进坟墓在当时很流行呢。比如说，在以色列已有1.2万年历史的古墓中，就发现了一条小狗。哎呀，我要挨咒了！

除非你愿意掩埋细节，有三件事你不得不读

1. 棺材（通常是石头的）的文雅说法是“圣体宝棺”。在希腊语中，这个单词实际指的是“尝鲜的石头”，因为古代希腊人相信，烂掉的尸首会被石头吞食。好啊，敢拿石头掷我！

2. 世界上最大的古代陵墓群是底比斯人在埃及的大墓地。它幅员辽阔，超过9平方千米的地下都埋有死尸。顺便说一句，在希腊语中，“大墓地”的意思是“亡者之都”——为了避免你疑惑。

3. 一些人实际上给生生活埋了！考古学家乔治·雷斯勒（1867—1942）在非洲的苏丹发掘了一个坟墓，其中尸骨的位置显示，他们是被生生活埋导致窒息而死。同时，从外面的食物残渣推断，悼唁的人们坐在周围享受了一顿丰盛的美餐。

谁敢在太平间享用美餐呢?

顶级豪华坟墓

格里蒙雷和斯拉夫（死者）
承办
（大型免谈）

亲爱的用户：

感谢您索求格里蒙雷和斯拉夫所做的宏伟陵墓详细指南。很明显，您明断是非、趣味高雅、腰缠万贯。在此，来世生活所需，一应俱全。一朝百年，您可以尝试在考古发现基础之上的最新设计。

您最谦卑的仆人

伊伯尼泽·格里蒙雷

又及：服务周到，包您满意。

豪华陵墓导游
世界上最好的坟墓
并且可能空前绝后

宏伟的坟墩

（18世纪前由美国东南部和中西部的土著印第安人构筑）

在坟墩上造好你的房屋（美丽的风景）。你死了以后，烧掉房屋，你就就地掩埋在坟墩里面。

每一个人都来享受丧宴（除你之外）。

你的家人勒杀一些奴仆，好在来生伺候你。你如果是孤身寡人一个，恼人的寂寞会来缠身。

更舒适的船

你喜欢的游艇为什么不埋葬其中？就像受掩埋在挪威高科斯特德的小船的启发。不要忘了，随葬物品要有武器和其他一些有用的家伙，比如12匹马、6条狗和1只孔雀。

特别的乌尔

（公元前2700年伊拉克的乌尔城）

在这个岩石中挖出来的坟墓里有很多间房屋，可以安葬你的仆人、手推车和母牛等。

你可以让最亲密的朋友们活着陪伴着你——他们也要和你一道赶赴黄泉！（只是还要长久等待，得等空气都跑光，那就太没意思了，只好用一些毒药放倒他们才公平。）全部的仆人、母牛等都秩序井然，让仆人们灌毒药（告诉他们会和一大群人一起睡倒），最后埋葬这一大帮。该死——差点儿忘了，让人杀掉那些母牛。你不希望它们“冲淡”整个事件的庄严气氛吧。

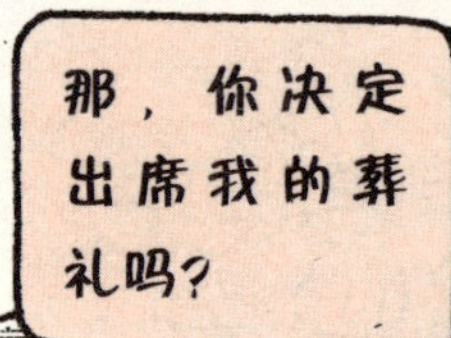

奢豪的秦陵

这个陵墓只能特殊预订，格里蒙雷和斯拉夫对此深表遗憾。我们答应建造它，除非你是……

1.百万富翁

2.中国的皇帝

并且我们需要现金到位（你反正带不走的）！

最后超生，来世愉快！

建造如此庞大的陵墓，需要70万人，花20年时间，5000米的城墙环绕。

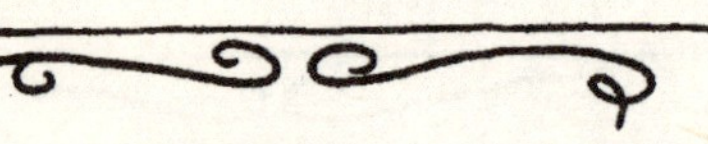

一个真正宫殿一样的坟墓，有着一张大大的中国地图，里面有由水银灌成的河流和大海。

85个一流的艺术家用陶土分别烧注7000个活人大小的兵马俑，再加上100辆战车和600匹陶制的骏马。

高科技的防卫设施：埋伏的弩机向任何一个盗墓人射击。

说明：因为这个坟墓还没有被发掘，我们只能沿袭旧说。中国的考古学家们说，进入墓体并非易事——但是有传言在蔓延，他们是害怕遭遇古老帝王的鬼魂！

补充部分： 来生什么都不穿？不必灰心丧气——穿戴整齐华美的尸首到处都是，挑一件我们列出来的丧服系列吧。

“帕卡”

马赛克式的翡翠面罩，戴着人造眼球，由1300年前的玛雅统治者帕卡大帝穿戴。

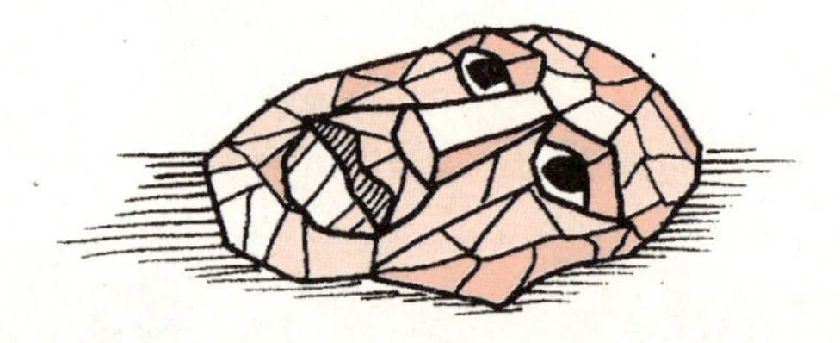

说明：按预期，翡翠保持你身体不脱水，并帮助你在来世中复活。它做不到的——但是，不必沮丧，你很时尚耶！

金缕玉衣

喜欢翡翠面罩？那你会爱上这身有2000年历史的中国的金缕玉衣。它由金丝和数千片各自独立的小块儿翡翠缝制而成。

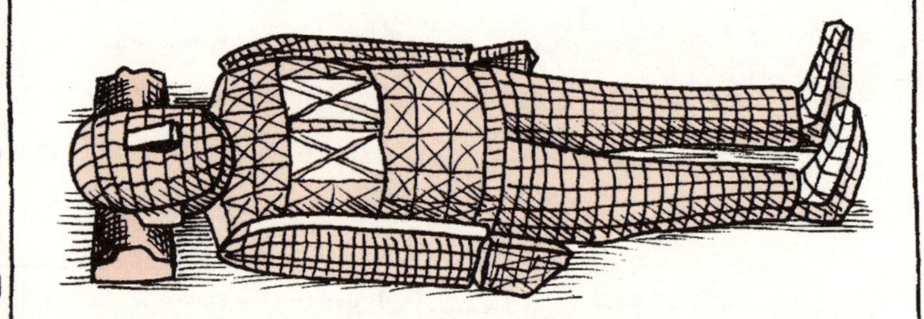

男式金缕玉衣是给刘胜的，他是皇帝的兄弟。

女式金缕玉衣是给刘胜的妻子的。

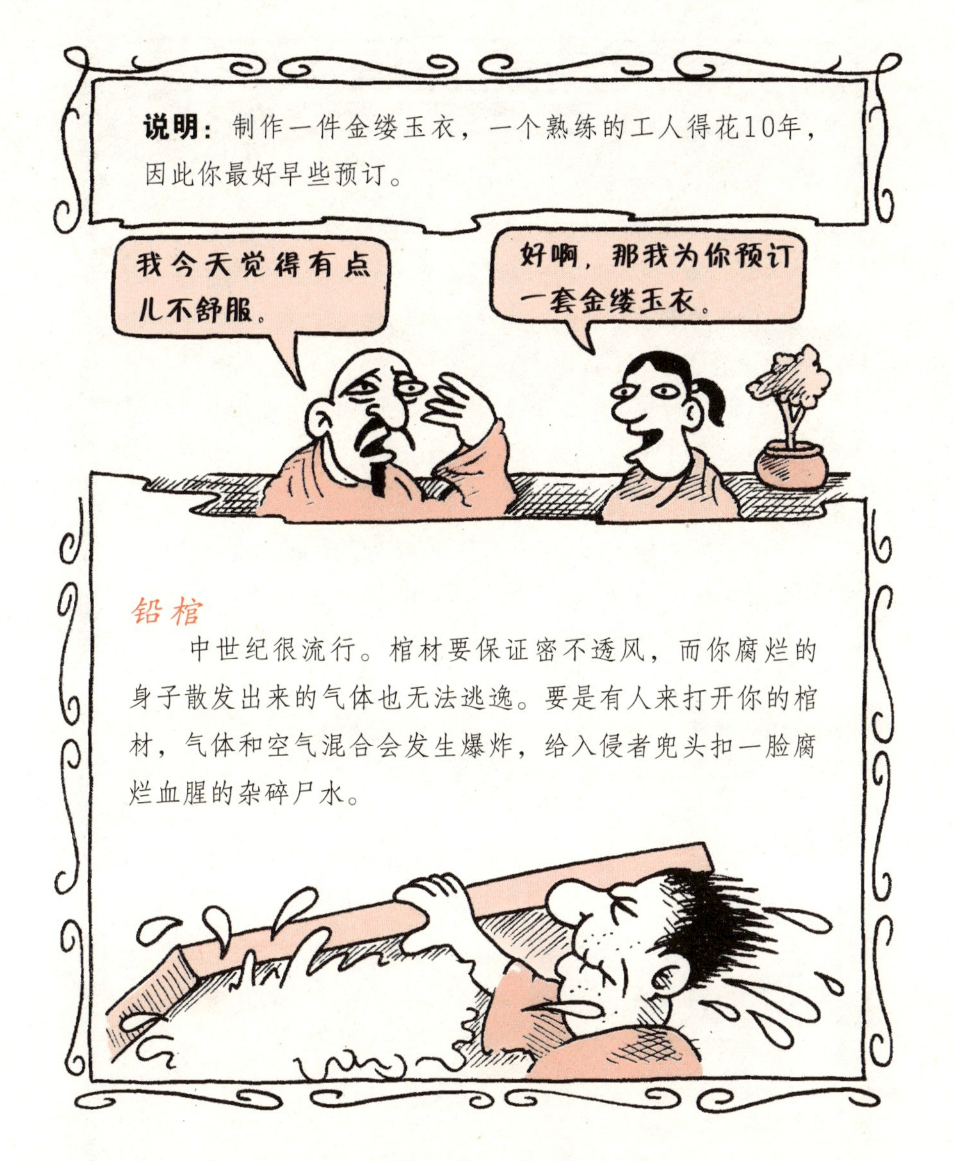

当然，要是你碰巧挖掘的是一个死去的帝王或者法老王的坟墓，一个庞大的陵墓、一些死去的家臣、一个铅棺或者一套金缕玉衣，你是不会餍足的。你还要把这个世上的所有财物和奢侈品带到来世。这里就有我们出土的一份古埃及文件。是的，它可能是个赝品……

图坦国王的遗嘱

图坦卡蒙（古埃及第十八王朝国王，公元前1361—前1352年在位——译注）下令，在自己驾崩之后，须按下列准则施葬……

一罐罐我喜欢的葡萄酒（打嗝）。

我所有的衣服和家具（不要忘了我的王冠）。

数百个标致的奴仆（他们都要活着过来，并且侍候我的来生）。

我的雕像（有一个漂亮的东西在眼前，是很不错的事情）。

我的拐杖，以便在想象中去巡视我的陵墓。

我的扇子，以防太热。

就算一个人作古了，他也总是愿意读读轰动的新闻——引导我超生的魔法书要唾手可得。

我所有的珠宝。

大量果腹的美味（你的烹调要适合亡者的口味）。

一箱玫瑰（我也许要认购插花）。

一绺我祖母的头发——如果你有幸光顾这里，可以保证能发现它。

人们谈论起古埃及陵墓时，很容易就联想到美丽的壁画、大堆的珠宝和神秘的木乃伊。废话！

实际上，考古学家很幸运，在图坦卡蒙的陵墓中，绝大部分的物件都保存完好。但埃及的大多数陵墓也许令人毛骨悚然，并不愉快，你很快就会发现……

在埃及KV5号墓，一个连通酸臭的水池的现代管道横贯坟墓，漏出了肮脏的东西。对了，为了进入坟墓，考古学家真得爬过这一段。这是个掩埋粪池的坟墓吗？

埃及医生阿比德尔·拉提夫报告说，在1200年，吉萨

（埃及东北部城市——译注）的大金字塔内布满了蝙蝠粪。气味是如此熏人，令拉提夫头昏脑涨。

耸人听闻的事实

考古学家弗林德斯·皮特里（1853—1942，英国埃及学家，考古学家，发明地层测年断代法——译注）在埃及的哈瓦拉发掘了一个陵墓，其中填满了泥浆和污水。弗林德斯在泥浆中艰难地从事发掘工作，最后眼珠上都涂沾了盐水。在他周围，漂浮着腐烂的死人骨骸。

蘸点尝尝？

一些考古学家成年累月在这种地方工作，费心劳神地清洗从沙砾中筛选的细小文物。并且他们经常发现，在多年前墓穴中所有的珠宝，甚至木乃伊早已都被盗走了。

很明显，这种活儿需要另类的坚韧不拔的考古学家来完成。可以想象，探索古墓最适合的人选是那些坚强的家伙……

发掘坟墓就要吃苦耐劳：贝尔佐尼（1778—1823）

意大利出生的贝尔佐尼（工程师、探险家和埃及学家，1817年到埃及发掘墓葬——译注）在考古学界留下了不可磨灭的阴影——天啊，仅仅穿着袜子，他都有2米高。但是他的早年生活和他的后期生活毫不相关——他以竞技为生，能同时扛起22个人！

他到埃及去向政府推销提水的水车（它的原理就像公牛踏转仓鼠轮子。然而，贝尔佐尼对提水只懂得一星半点儿）。意料之中的，新机器的试验以失败告终，一个男孩似乎想证明，公牛能做的，人也可以担当，因此折断了腿。

不管怎样，一个英国的外交家资助贝尔佐尼吊起了一个巨大的古代雕像，并把它运到英国。他送走雕像，一定如释重负（啊不，他不可能肩挑背扛）。正在这时，贝尔佐尼碰上了他的死敌伯纳仃娄·德沃提（1776—1852），并与之发生争吵。他们的仇隙很有戏剧性，可以拍成一部宏伟的好莱坞电影。总之，我撰写了剧本，在此就不想啰唆了。不像大多数好莱坞电影那样喜欢无中生有、哗众取宠，这部影片事实确凿，绝不杜撰，但是我得虚构一些对话。

可怕的考古报告显示……

可怕的盗墓人

混杂滑稽、恐怖和惊悚的举动，带给所有家族！

可怕的盗墓人剧本

场景1：在埃及的遗址（沙漠中的橡树、一望无际的黄沙，等等）。贝尔佐尼正向他的工人咆哮，他们在搬运一个巨大的法老头像。

贝尔佐尼：嗨，伙计们，用力顶呀！——你们能行的，等一会儿回去让当地人开开眼！

人们：哎——哟——哎——哟，妈呀！

因为这是在好莱坞，我们的主人公贝尔佐尼，由一个美国男演员饰演（真正的贝尔佐尼有意大利口音），德沃提是一个坏蛋，因此让他说一口叽里咕噜的外国话。

（德沃提上场——你认得他，这个恶棍，蓄着可笑的胡须，身披黑披风，一身邪恶的打扮。）

德沃提：过分，竟然要弄起老子来了！我留了心眼儿，但贝尔佐尼还是把它送回英国了！我本来想买通埃及的官员，要阻拦他的……但是我被耍了！

贝尔佐尼：你阻止不了我的，德沃提！我还要继续去找些殿庙，发掘个干干净净。

德沃提：呀呀，你想干什么，贝尔佐尼！（发出一阵狂笑）

场景2：克拉克的神庙（一望无际的黄沙，四处横陈着古代木乃伊）。

字幕：克拉克的神庙（贝尔佐尼上场）

贝尔佐尼：呀，看这些宏伟而精致的遗址！它们让你感觉渺小，感觉无足轻重！

（贝尔佐尼艰难行进，重重地摔了一跤。）

贝尔佐尼：乖乖！差点儿熏爆了我这该死的鼻子！我的天！原来坐的是木乃伊！看看，这个木乃伊上的灰尘一定能飞舞到年轻人的鼻子尖。幸运的是，我没有嗅觉！阿嚏！啊啊啊哈！是有点儿难受！

（德沃提上场）

德沃提：这是什么意思？怎么怠工呀，贝尔佐尼？

贝尔佐尼：嘿，没办法，先生。我已经发掘了阿布·辛拜勒神庙，并在吉萨发现了通向小金字塔迷失的入口，和那些相比，聪明的伙伴！

德沃提：我，可……

贝尔佐尼：好啦，现在我要得到那些古埃及陵墓中珍贵的珠宝了。

场景3：**（贝尔佐尼正在赏鉴墓室的壁画）**

贝尔佐尼：这个地方一定适合国王！很遗憾给盗过了，但是这些壁画栩栩如生，特别是这个棺椁好大呀！（德沃提蹑手蹑脚进入镜头）

贝尔佐尼：喂，干吗呀你，德沃提——你还想瞒天过海，顺手牵羊吗，告诉你，没门儿！

德沃提：不要担心，贝尔佐尼老兄，我不会偷窃什么东西的啦。我由衷祝福你得到这些棺材。

德沃提：（旁白）哈，哈，贝尔佐尼搞不动它的，他这样做简直像个大傻瓜。

贝尔佐尼：为什么不衷心祝福我呢。我敢说，我可以带走菲莱岛那块巨大的方尖碑。

德沃提：哈，哈，只要你乐意！

场景4：金字塔边的一条路

（德沃提带领着一帮阴险的强盗，个个蒙着面罩）

德沃提：我已经想尽办法了，但是要阻止贝尔佐尼，我却无计可施！我原以为他搬不动大雕像，没想到他居然得手了。气死我了，我们一定要给他点颜色看看！

（他们迅速埋伏好。）

（贝尔佐尼骑着驴子进来了。）

贝尔佐尼：走啊蠢驴！吁——驾！

驴子：咿——呀！

（德沃提和强盗们溜了出来。）

德沃提：你完蛋了，贝尔佐尼！快点儿下驴来，接受喜讯吧。

贝尔佐尼：嘿，怎么回事呀？我可不能向你们这群家伙屈服，别白费工夫了！德沃提！

贝尔佐尼身后一声枪响。他立刻溜下驴来。

贝尔佐尼：好啦，算你赢了。我放下武器了，你打算怎么办呢？

德沃提：你快点滚出这个国家，永远不要回来。

贝尔佐尼：一定，只要可能我这就走人。只是要我走，我得带上我发现的棺材。

德沃提：好极了——只要你搬得动，哈，哈。

场景5：海港

（贝尔佐尼的船正要扬帆，他坐在甲板上，和棺材在一起）

贝尔佐尼：很好，搬运一副棺材倒不费劲。它一准儿帮助我成为一个起重的专家。现在我要前往英国，马上我就要声名显赫，腰缠万贯啦！

（镜头切换到海岸，德沃提在岸上上蹿下跳，暴跳如雷。）

德沃提：气死我了！又被耍了！

（镜头切换到海上，船儿驶向夕阳。片名出现，音乐响起，演员表，剧终。）

后事如何?

你会很高兴地听到，贝尔佐尼为他的发现筹备了一个成功的展览。并且听到德沃提和他的同伙们最后都发了疯，你还会忍俊不禁。但是当你得知贝尔佐尼从棺材上一分钱都没有赚到，你就不会那么高兴了。按照和埃及当局签订的协议，他们需要付2000英镑——而这个棺材恰好售价2000英镑!

最后，要是知道贝尔佐尼在探索西非的时候死去，你一定会觉得遗憾的。在他的墓碑上，有一条遗言要求人们保持它的整洁——但是他们没有做到。哦，对了，贝尔佐尼应该这么说："考古也是一种商业行为。"（现在你可以哭鼻子了，只要你不要用这页纸擦你的鼻涕。）

重要说明

也许你还记得本书第6页上说过，在步入正轨的考古之前，发掘古代遗址的人们都是些攫宝者和盗墓人。老实说，贝尔佐尼也不过是一个盗墓人，不同的是，他只拿自己感兴趣的物件而已。

提醒你，从远古开始，埃及人就已经开始盗墓了。

你有没有想过做一个盗墓人？如果那样，这里有一个指南会对你有所帮助。顺便说一句， 盗墓人是一群迷信的家伙，那就是为什么这个指南源于民间的传说……

盗墓人指南

盗墓是一项令人愉快、有利可图的爱好，但是你得遵守下面的规则，否则，你会陷入糟糕的麻烦……

规则一

众所周知，邪恶的魂灵寓居于鸭子身上，那就是为什么跟着鸭子钻进坟墓会十分危险的原因。在墓中，鸭子的灵魂会进入你的身体。要是发生了这种事情，你最好赶紧跑出来，找个江湖郎中看看。

规则二

坟墓中有致命的蝎子。要是给咬了，得立刻切开伤口，把毒液吮吸出来。紧接着，喝下橄榄油和蒜泥的混合物（要是你凑着鲜花呼气，花若枯萎了，你就知道你嚼够了大蒜）。

规则三

木梁砸住大腿，身体牢牢地陷入机关。古代埃及的盗墓人受尽了折磨，冒着危险，甚至搭上小命。因此盗墓人——要清醒——你的生命危在旦夕。

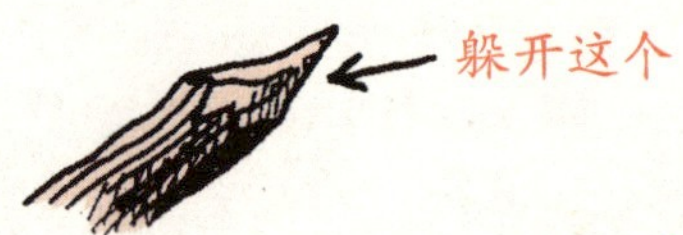

规则四

不要忘记念念咒语，规避坟墓中的幽灵和诅咒。哦，说到魔术，这里有一道魔法，可以帮助你找到珠宝……

调拌一些香料和植物——藏红花、无花果和长豆角——和一些粪便，并添加人血稀释。

搓成小球。

点燃，你就可以熏出珠宝了（或者熏出可怕的东西）。

重要说明

治疗蝎子咬伤并没有十分有效的方法，但是不要担心——被蝎子咬伤，只有老头儿和小不点儿才会致命，所以你的小弟弟、小妹妹和你的老师运气不佳——至于你嘛，没什么大碍的！

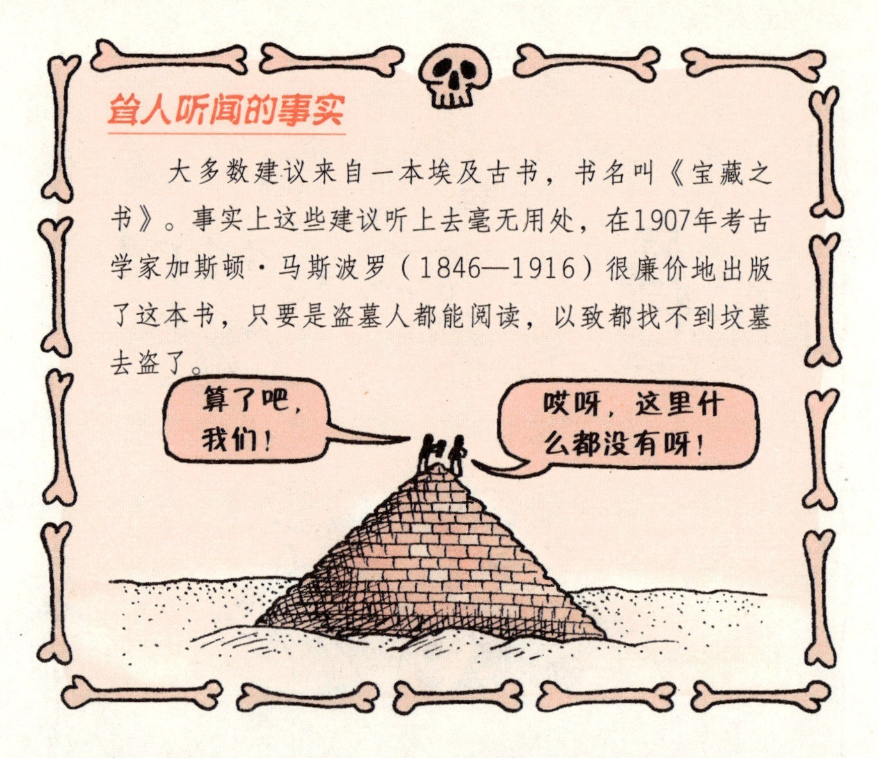

有一条更认真的说明，骗子们仍在盗窃坟墓中的珠宝，并卖给富人和贪婪的收藏者（参看第118页关于一个美国盗墓人的故事）。在世界上大部分地方，盗窃遗址是一个老大难而且日见突出的问题。1987年，考古学家瓦尔特·阿尔瓦在秘鲁的锡潘发现大量的珠宝。但很不幸的是一个盗墓人和他的强盗同伙闹翻了，把遗址告诉了警察。等到考古学家们抵达，那个地方已经爬满了强盗，警察不得不将他们打跑。

骇人的盗墓人事件

你相信吗——我们的同道荷沃德·卡特曾经跟踪过一个盗墓人？！这里的情形，或许就像卡特的报告——你是不是做出了相同的决定？

荷沃德·卡特的报告

1907年

灾难！昨天晚上，阿孟霍德普二世的陵墓遭劫。强盗在搜寻珠宝的时候，破坏了部分木乃伊。这是一桩滔天的罪行……

1. 卡特会做什么？

a）查询这个地区发生其他罪行的消息。

b）在木乃伊上安设机关，下一回要有人碰的话就会爆炸。

c）埋伏好。等候强盗返回光顾。

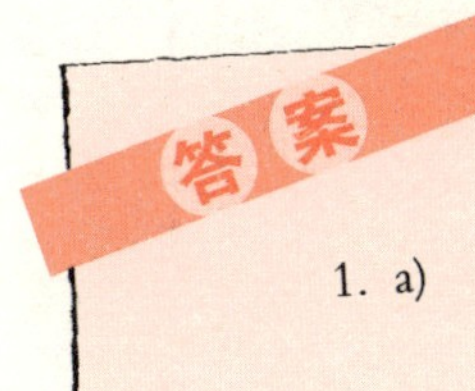

1. a)

一个附近的坟墓在几天前给盗了。于是我检查那里以期发现盗墓人的线索。对了。我找到它们了，不是吗？强盗弄断了墓门的锁，并用树脂和小块的铅续接，使之看上去没有折断过。在阿孟霍德普二世的陵墓中使用了同样的诡计。很明显，是同一个强盗两次作案——他可是行中老手。我开始搜寻更多的线索。随后我发现了脚印。它们看来通向了穆罕默德·阿波德·伊尔·拉索的家门。是啊，那是很可疑的，每个人都在耳语，说盗墓是他干的……

2. 卡特会做什么？

a）踢开强盗的门，控告他犯了盗窃罪。

b）呼叫警察。

c）给脚印照相，并测量。

2. c） 他需要搜集指控盗墓人罪行的更多证据。

我测量了脚印，并照了相。（作为一个考古学家，我的技术在这里派上用场了！）接着，我雇用了一个职业的跟踪者，检查脚印是不是真的通向强盗的门。果然不出所料，警察抓住了穆罕默德，但是他否认一切。幸运的是，有我的照片和测量记录做证据，脚印完全吻合！当我告诉他这一切时，他看上去真像被砍了脚一样！

假定你发掘的坟墓没有被盗，在里面你很可能发现一具死尸。是啊，非常恼火的巧合，在下一章你会发现一具或者两具死尸。并且你也会发现这些装扮靓丽的尸首，穿的是什么货色的衣服；他们那化了脓的内脏里，装有什么宝贝呢？

警告：后面页码的味道不是那么可口的……除非你是个吃人的畜生！

极其有趣的人们

考古学家认为古代的尸体非常有意思。这听起来有些毛骨悚然，但是尸体可以透露给我们很多信息，例如他们曾经是怎么生活的？……还有他们是如何死去的？

提起古代的尸体之前，先让我们弄清楚自从我们最近的访问之后，基尔默学校又发生什么啦。还记得考古学家是怎么发现一所老校的遗址的吗？对了，你也许还记得发现了一架尸骨。根据最新的消息，他们发现了一个带着头颅的骷髅、三具尸骨！

那让我们专心致志地去找证据……

逝去的学校

第三部分：一堆证据

“在这里发现尸骨我并不惊讶。” 山姆轻松地说，“那就是我想说的，根据我找到的旧报纸，在1790年，学校暴发了疾病，其中有三个学生死了。难道那是虚假的吗？”

赫尔格·第格拜教授靠过去安慰凯温。自打撞见了骷髅，他一脸苍白，浑身哆嗦。

“凯温，一个骷髅而已。你不是一直想做一个考古学家嘛——你理当为它着迷的呀。”

凯温的牙齿开始咯咯打颤：“妈呀，是——是——是的，我想，教授，只要它们只出现在书——书——书本中。实际上，我的考——考古学书——书——书本中有一章关于骨头……”

“好了好了，凯温。” 教授体贴地说，“你最好安静地坐着，读读它，直到平静下来。我相信，没有你，我们也可以干得很好。”

考古入门

E.C.皮斯

第六章：献给初学者的尸骨

骨头是如此的光彩照人！至少我们的考古学家这样想！你可以从中得知一个人的很多资料——判断一个成年

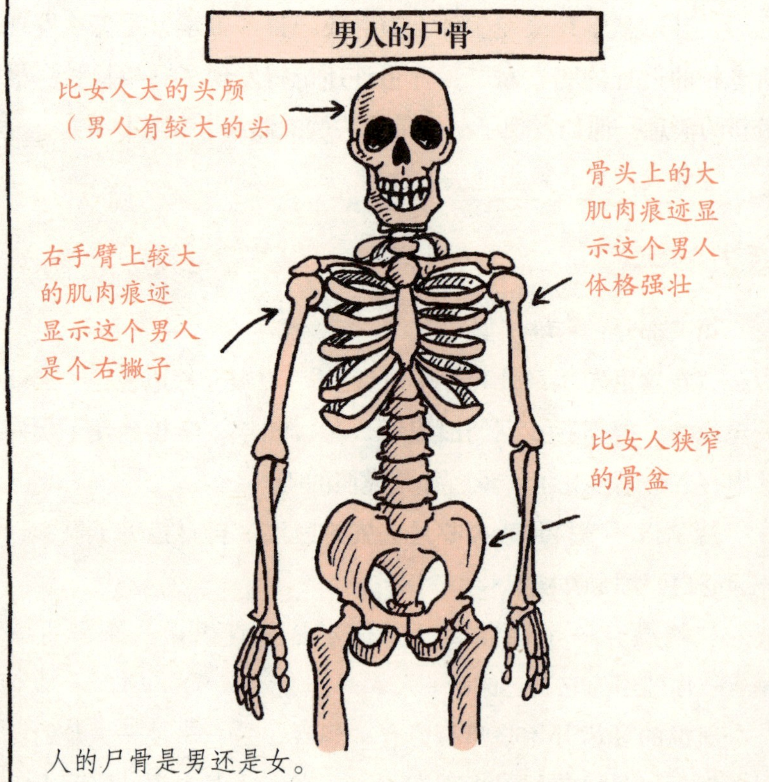

人的尸骨是男还是女。

通过骨头，你可以推算一个人的年龄。当身体变老了，骨盆（在孩子时是分开的）就会和其他的骨头长成一片。

“嗨，凯温，” 山姆说，“你真的害怕尸骨？”

凯温从他的书本中抬起头来，面红耳赤，“才不是呢。” 他咕哝着。

“那好，那你过去帮帮诺曼——他忙不过来了。我回头再来帮忙——教授让我打电话通知报社和电视台。”

凯温的眼睛因恐惧睁得大大的。“啊，” 他胆战心惊地说，“相比之下，我更愿意上电视。”

备忘录

发自：米克小姐，英语老师。
送达：斯耐普先生，班主任老师。
我担心遗体的发现会扰乱机灵好动的孩子，我可以建议引入夏令营辅导员，并停课几周吗？

备忘录

发自：斯耐普先生，班主任老师。
送达：米克小姐，英语老师。
回复：你的备忘录——忘掉它！米克小姐，你来教书，我们是付了费的，不是来给孩子们放假的！按照我的想法，这个所谓的发掘绝对不会发生——但是现在太晚了，阻止不了了。

同时，在操场上，那些狡猾的机灵鬼纷纷凑过来看骷髅……

克莱尔完成的科学作业

脱氧核糖核酸（DNA）

DNA代表脱氧核糖核酸——在身体细胞中发现的一种物质。按照我收看的教育频道的节目，DNA中化学物质的排序控制着身体的成长和发育。亲属有相似的DNA，而考古学家通过对发现的旧骨头和牙齿做DNA研究，可以确定两具尸体是不是来自同一家庭。

A等——棒极了，一如既往！

同时，考古学家继续工作，他们难以预料，接下来将会发现更加恐怖的秘密……

继续下文……

在基尔默学校，尸体只是一些简单的尸骨。考古学家们主要发掘旧墓地或古战场这样的玩意儿。

但并不总是如此……

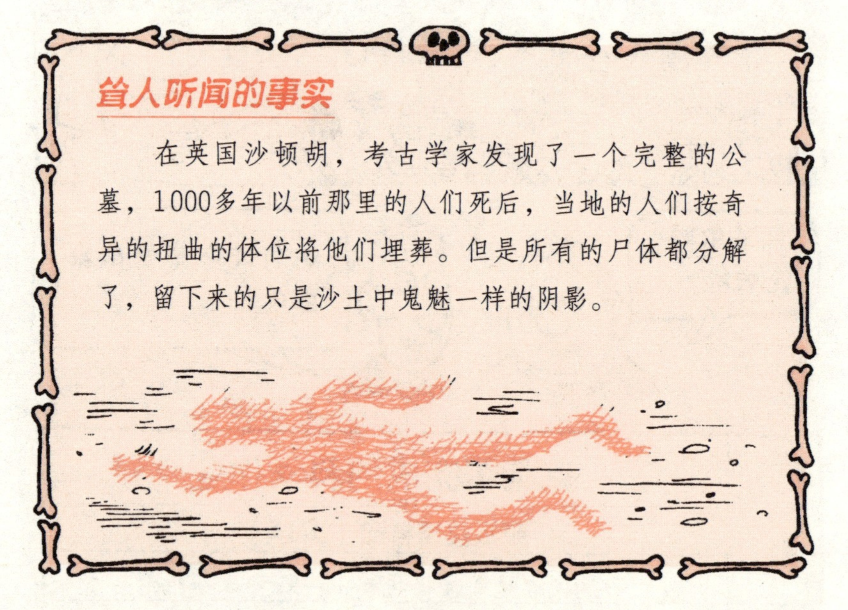

耸人听闻的事实

在英国沙顿胡，考古学家发现了一个完整的公墓，1000多年以前那里的人们死后，当地的人们按奇异的扭曲的体位将他们埋葬。但是所有的尸体都分解了，留下来的只是沙土中鬼魅一样的阴影。

但是有时候，要是一个考古学家真正幸运，他发掘的尸体也许碰巧还残留着破布片和腐烂的肉体残余，甚至古墓里藏有更多的宝贝。你是不是已经做好准备……

在假日里，精神正常的人是不会去参观沼泽的。因为那里潮气袭人，臭气熏天，布满危险并且常常大雾迷蒙。而且只要摇晃几分钟，黏稠的地面就能吞没一个人。浸泡在杀菌的酸液中，他们的身体还不会腐烂。那就是为什么丹麦、德国、英国、佛罗里达和爱尔兰出土了骨头、皮肤和内脏都保存完整的古代尸体。可以看出一些人死得很凄惨。发现于德国沼泽的一具尸首，是给装入整齐钉好钉子的木桶里，抛进沼泽中的（我敢打赌，听上去并不好笑）。

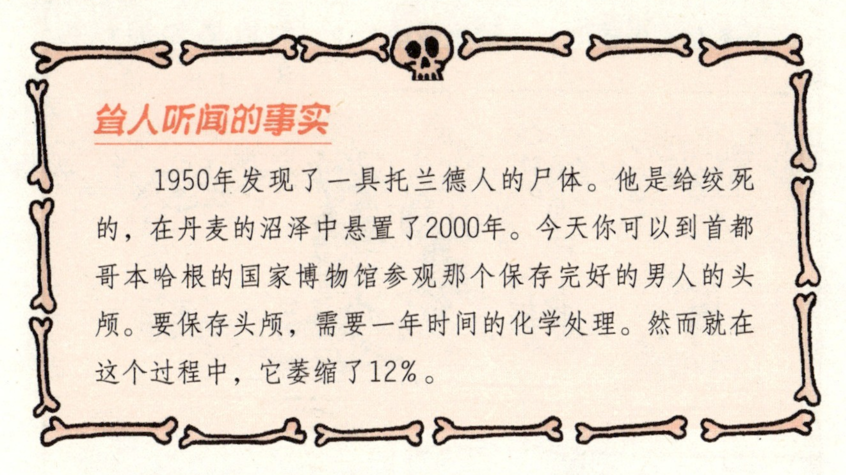

耸人听闻的事实

1950年发现了一具托兰德人的尸体。他是给绞死的，在丹麦的沼泽中悬置了2000年。今天你可以到首都哥本哈根的国家博物馆参观那个保存完好的男人的头颅。要保存头颅，需要一年时间的化学处理。然而就在这个过程中，它萎缩了12%。

现在轮到讲述发现另一具沼泽尸体的恶心故事……

一具标准的沼泽尸体

1879年，在丹麦的胡尔德雷默森，一个男子卡廷·皮提意识到他用铁锹铲断了一个人的手，紧接着他又发现了尸体剩下的部分。那是一个老女人。

一群人围拢过来，其中一个是老师，（就算老师无所不晓）她认为这具尸体非常古老。

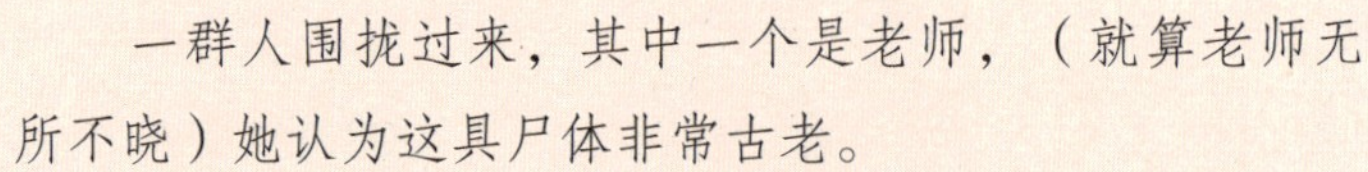

随后警察赶来。

在这个老女人死亡之前，她被斧子砍掉了胳膊。

要是你问我，她可真是无手臂也无寸铁。

村民们把这个老女人装进棺材，并埋葬在教堂墓地里。后来博物馆要求呈送尸体以资研究。因此村民们再一次把她翻挖出来。

也够怪的，博物馆的官员把这具尸体扔进地窖，直到1978年，才被专家发现并开始研究。根据研究发现，这具尸体可以追溯到公元100年。

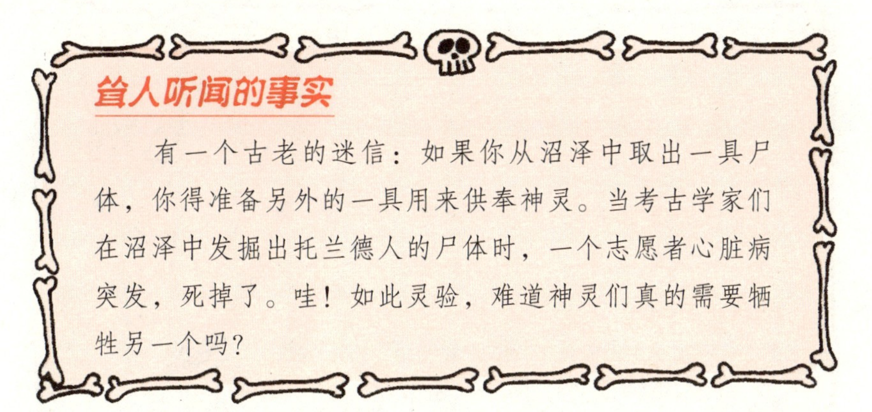

耸人听闻的事实

有一个古老的迷信：如果你从沼泽中取出一具尸体，你得准备另外的一具用来供奉神灵。当考古学家们在沼泽中发掘出托兰德人的尸体时，一个志愿者心脏病突发，死掉了。哇！如此灵验，难道神灵们真的需要牺牲另一个吗？

但是沼泽并不是保存尸体的唯一办法—— 严寒也可以杀死导致腐烂的细菌。那就是你冰箱中的东西为什么能够保持新鲜水灵。尸体也可以这样保鲜，如果你装一个在那里……

在时间中凝固

1991年，考古学家得到机会研究一具比沼泽尸体更古老的冰冻的尸体。它是翻越阿尔卑斯山的徒步旅行者埃里卡和赫尔姆特·西蒙发现的。尸体很快就被命名为欧提兹。在今天这个世界，我们已经说服这个冰人冲破5000年的冰封……

我的故事

雪人欧提兹撰写

那是一场灾难事故。我的死亡就是如此。妈妈说："离大山远点儿，欧提兹。你身体不好，近来你得了可怕的病，你那摔坏的肋骨还没有完全好，你应该躺在床上。"好啦，妈妈总爱唠叨。我应该听她的话，不是吗？但是我却违背了她的意思！

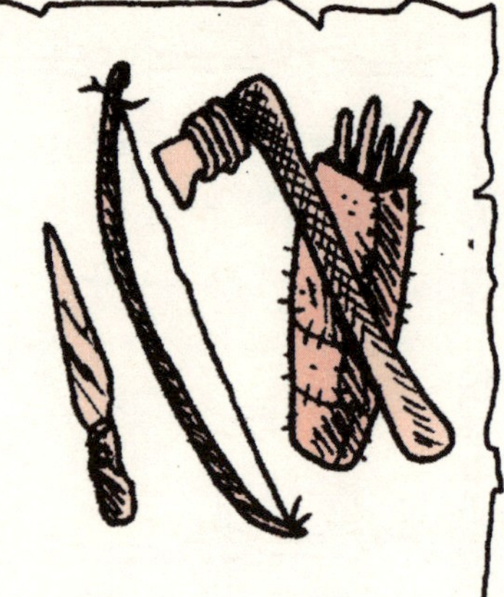

我总是自作主张，还扬扬得意。我是个猎人，在这个行当中是最棒的。我已经装备妥当——弓、箭、斧、刀。我现在的工作就是克制激动。对啦，我认为我可以照顾好自己的。

但是，我错了。

你一定爬得高高的，去猎获些野山羊和鹿。值得一去呀！它们的毛可以做光彩照人的衣服，人们为了它们可以不顾一切。头天弄断了我一支箭，我就坐下来修理。但是我感觉有些不对头——我的肋骨隐隐作痛，我后背的老毛病也犯了。夜晚空气清新，树木结霜，而天空中繁星璀璨。我扎紧肩头的草斗篷，躺下来睡觉。

是的，直到覆盖我身体的积雪融化，我听见这些跋涉者在谈论：“是一个人！”一个女人说。

我当然是——我知道的。

“你错了，”一个男人说，“是一片垃圾。”

见鬼！哎呀，这一段时间我从没有安宁过。

到处都是警察和登山救援队。他们用冰镐和一些机械的凿子把我从冰层中挖出来。他们弄坏了我的屁股，搞断了我的胳膊，强制我进入棺材——哦天！现在又把我塞进一个冰箱，以免腐烂。隔两周，他们只容许我放风15分钟——全部的事情都让我心寒体冷。

真是命苦！喔，我是说死亡。

考古手记

1.关于欧提兹的考古价值是他和他身上的东西一起被找到（这和那些随葬物品以待来生的人有点不同）。通常，在考古中，那些个人物品被扔掉了，并和其他人的东西混杂在一块儿，你很难真正分辨它们的归属。

2.欧提兹的故事基于考古学家们发现的事实。我们知道他制作自己的物品，是因为他身上带着他的工具劳作过的痕迹?

3.奥地利的考古学家研究了欧提兹，但是他的身体实际上是在意大利发现的。这导致了长达两个世纪的争论：谁拥有这具冰冻的尸体。（也许他们可以把他锯成两半？）

重要说明

考古学家们不得不把尸体从坟墓中移出来研究，通常，遗体最终保存在博物馆。但是在北美、澳大利亚和其他一些国家，原居民要求拥有埋葬他们先人遗骨的权利。现在，考古学家很清楚这样的风俗，但是他们仍然热衷于从遗体身上获取信息；所以遗体经常按照令人肃然起敬的仪式重新安葬。

实际上，欧提兹并不是唯一的赢得身后出名的古代尸体。这里就有好几个，你听说过这些使他们声名鹊起的期刊吗？

时尚与美丽

卡泰·凯德维撰写

欧提兹是青铜时代最时尚的标本。那个时代出土的人物全都穿着皮革制成的衣服，这不足为怪。

日常的穿戴，诸如手纺的毛衣绝对时髦。安妮弗莱德正在制作服装标本，3000年前，它套在橡木棺中的丹麦女孩身上。

重要说明

考古学家对于1912年发掘出的衣服极为震惊。他们认为它有伤风化是因为它居然露出了女孩的大腿。但是他们对于这个女孩头上除了保留了大脑和眉毛以外就一无所剩这一事实，却没有大惊小怪。

卡泰的美容秘诀

本周：极品皮肤和自然指甲

凛冽的寒风可能导致皮肤的严重干燥和龟裂，特别是过了一千年。为什么不试试古代智利人（公元前6000年）熏制木乃伊时使用的泥袋呢？只是简单地熏一熏你的身体，像熏鱼一样。将泥浆涂抹在你的脸和其他要保存的部位。

指甲剥落和毛发变糟的日子

在冰层中掩埋，对你的指甲可是危害极大。可怜的欧提兹，他的头发和指甲实际上都掉光了。但幸运的是，一些好心的考古学家爬上山来，找到了他的大部分头发和一片指甲。

广　告

有皮肤问题吗？
没问题！

如果你那远古的尸体需要处理，请到莫斯科生物工程研究院来！

在我们高度精密的含有熏沐液体和酒精的鸡尾酒中浸泡，让你享受绝对的放松。你很快就会恢复健康——“刚死”的模样。

恐怖的尸首

玛丽·摩尔德撰写

八月

这个月你要装入玻璃罩中展览。很多人会来盯着你看，并说一些这样的话：

“哇，果真比柜子里的鬼魂要强得多！”或者：“呀，看那些指甲！”

有关骷髅的健康

亲爱的大夫：

我是南美印加的一个男孩，自从献祭给诸神，我的身体就在山顶上趴了500年了。我的问题是科学家发现我长了一个瘤子——它会不会传染呀？

阿拉急

于南美

亲爱的阿拉急：

不要着急担心。因为你都死了那么久了，导致疾病的病菌一定也死了。

又及，谢谢你从坟墓寄来的明信片——风景看上去很可爱！

广告

你想要一个阳光明媚的假期吗？为什么不来参观参观死海？

有人在那儿吗？

孤独的木乃伊（自己的坟墓）寻找永远的精神伴侣。我有3300岁了，保存不算完好，但是我可以让你开开我的战车。

联系人：图坦卡蒙
转交：国王谷

亲爱的大夫：

我是秘鲁一具有着600年历史的印加木乃伊。一队由印度和阿根廷的科学家、考古学家组成的科考队曾经断言：“我患有南美洲锥虫病。”为此，我非常担心——我是不是要死了？

西克里于秘鲁

亲爱的西克里：

你不会死的，因为你已经死过了。记得不？小虫子吸你的鲜血，并在伤口上拉撒，因而导致你生病。那致命的剥落物含有一种微型的小虫，它阻碍你的内脏工作。越来越多的小虫积聚起来，导致你的内脏发臭，最终心脏停止了搏动。那可是一种很迷人的死法！

广 告

尝试清洁你的皮肤，让它看上去更白。将灰尘和水混合在一起，看上去效果非常好，你一定会喜欢它，这将是木乃伊和死人们的最爱！

达夫尼的死尸烹调

一些人也许会觉得这难以下咽，但却是我们死人最喜欢的食物。是的，木乃伊的烹调技术绝对第一。本月我们的佳肴原料都取自保存完好的死人的五脏六腑！祝你有个好胃口！

开始进餐

新鲜可口的西瓜

成分：

一个西瓜

你所享受的是中国女人辛追吃的那种。她吃完西瓜，心脏病发作，一个小时后就“交待”了。

烹饪方法：

1.切成立方小块儿，用酸奶酪拌好。吃下去，留一个小时消化——对你的内脏有益！

2.力争在胃中停留2200年。

烤面包

要像皮特·马希一样吃下去（1984年在英国的林多莫斯发现他的尸体）。

成分：

粗制面粉、水

烹饪方法：

1.用水将面粉拌匀，并在铁锅上烤熟。

2.开吃，12小时后就会惨烈地死去。

3.在酸性的沼泽中泡胀（大约2000年）。

迪凯的问题

亲爱的迪凯：

2000年前有人用膝盖顶我的肋骨，并从后面用一把斧头把我打昏。随后他们勒紧我，割我的喉咙，我的鲜血喷涌出来，最后他们把我扔进沼泽。天啊！难道我是死去的人中结局最坏的一个吗？

皮特·马希

英国博物馆，伦敦

亲爱的皮特：

当然不是，皮特。人们乐意瞻仰玻璃罩中的你。那个攻击你的人也喜欢你，其实——他们只是想把你供奉给诸神。我知道他们这样做有些过分，但是我们有时也不得不做出牺牲。

下月预告

知名的尸首邀请我们一览他们有趣的坟墓。

耸人听闻的事实

皮特·马希的尸体在当地的泥煤装运工厂被一个工人发现。开始他还以为是一根棍子呢，并且扔给了一个同事。这根棍子是连带着脚的人腿。如果是你，你要怎么做呢，扯断腿？皮特的另一条腿和脚已经给打好包，当做泥煤肥料，用来种植蘑菇了。我希望这样做可以把美味带给蘑菇汤。

实际上，扔掉古代尸体的一部分是一个巨大的错误。因为即使是一丁点儿身体（不必是他们的胃），也可以告诉考古学家古代人曾经都吃些什么……说真的呢。

挖掘细节

名 称： 化学物品、饮食和死尸

基本事实：

还记得^{14}C测年断代吗？（如果不记得，它在第45页呢）是的，形成骨头的碳原子中还有其他很多种类。

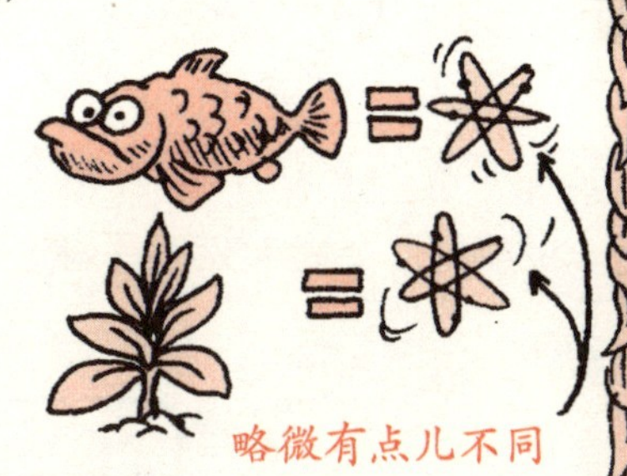

细枝末节

海鲜中含有较多的^{13}C，而植物中的^{12}C含量较高。因此你可以取一根骨头，用一种叫做质谱仪的仪器测量其中碳原子的种类。然后根据结果推测出这个死人生前吃过什么了。哦，这不是比问他们要更容易些吗？

牙齿的真相

如果你不介意摸摸死人的骨头，那么你也许可以很大胆地看看他们那逐渐腐烂的嘴，并深入研究他们的牙齿。

现在把口张大……

1. 在2000年到4000年前的日本，当你长到14岁时，敲落一些牙齿是很时髦的举动。如果你生长的地区不同，拔掉的牙齿数目也不同。

2. 以色列的考古学家发现了一个有2000年历史的武士头颅，他的嘴中有一颗绿色牙齿。在当时，骗人的牙医一定许诺给他镶上一颗金牙，但实际上只给他用青铜的做了替代品。可能是有毒的青铜杀死了那个武士，经化学反应牙齿变成了绿色。我预料那个武士死后浑身上下也变绿了。

3. 你看过带着神秘微笑的蒙娜丽莎吗？如果没有，这里有一种关于她微笑的说法，可以在茶点时间令我们的艺术家感到恐怖与不安。

她的微笑像是要掩饰她难看的黑牙齿。考古学家已经发现伊莎贝拉·德阿格娜——据说她是蒙娜丽莎的原型——她的牙齿黑黑的，为了除掉黑色的东西，她还刮过牙齿上的珐琅。我想这种东西一定很不好消化。

4. 研究牙齿，你可以判断人的年龄。随着年龄增长，牙根变得透亮——也许你的老师会允许你考察她的牙齿，这样你就可以知道她是不是像她声称的那样年轻。

5. 牙齿上的痕迹可以显示，这个人是吃荤还是吃素，还有他们通常吃的食物。破损的牙齿意味着食物坚硬，或满是沙子。除此以外，牙齿甚至还告诉你一个人在餐桌上是礼貌，还是缺少教养……

自己动手……像洞穴人那样进食

你的爸妈是不是告诉过你吃东西要像洞穴人那样？现在证明他们正确的机会来啦！

所有你要准备的是……

一长条带筋的肉（什么都行，试试火腿，死了的猛犸，要不，如果你是个素食主义者，你可以来点儿菠菜）。

一把燧石刀（要不你可以用一把普通的钝刀）。

所有你要做的是……

1. 用你的门牙咬住肉的一头，另一头抓在手中。

2. 用刀切割肉。

3. 囫囵吞下你嘴咬着的那块肉，不要掉在地面上。

考古学家发现有50万年历史的头盖骨，上面的牙齿有些痕迹，这就告诉我们洞穴人是怎样进食的。简直在胡说八道，不是吗？

耸人听闻的事实

和现代人相比，古代人有较大的下巴。这一点儿也不奇怪。在现代烤炉发明之前，烹饪方法很简单，食物比较生硬——因此需要长咀大嚼。当餐刀在1600年发明以前，人们很难切割他们的食物，因此就只能让牙齿代劳了。顺便说一句，靠粗糙的学生餐喂养长大的孩子，牙齿会像金刚石一样坚硬。

你能不能壮着胆子硬着头皮读读下列内容？

大多数被保存的尸体都患有蛔虫病。蛔虫的卵从粪便中掉落下来，通过脏手污染了食物。只要一进入人的身体，它们就孵化成很多的蛔虫。不，不要发抖，你大致还没有染病，就算你有了，它们也容易对付。顺便说一句，一些埃及的木乃伊体内有线虫——这种生物长达30厘米，喜欢探索人的身体。有时它会在眼球边上突现出粉红的小小的一角来。

还是说食物吧。哪怕发现一丁点儿腐烂的、半消化的古代食物都是激动人心的，因为它们可以告诉考古学家古人们的膳食情况，这你知道吗？还有一种发现物更加趣味无穷——干硬的人粪。

在下一章，你还会发现其他什么更让人惊奇的东西呢？

说白了，考古就是分辨“垃圾”。是的。你真是对极了。绝大多数发现物——考古学家们发掘的东西——都是废物！无用的废料如动物的骨头和破碎的陶器，被人们成堆成堆地处理掉。考古学家筛分这些垃圾，并从中得到远古人们生活的真正画面。

你可以成为一个考古学家吗？

美国考古学家威廉·L.拉斯基研究当代的“垃圾”，看是否可以告诉我们古代人们生活的方式。一队考古学家拜访了亚利桑那州图森城的人们，并拖走了他们腐烂的垃圾。85%的人说他们不喝啤酒——但是考古学家们发现了什么呢？

a）人们说的是真话。

b）只有25%的人真的不喝啤酒——其他人家的垃圾中都有啤酒罐。

c）考古学家喝啤酒喝醉了，并搞丢了调查结果。

答案

b）考古学家根据垃圾可以勾勒出和人们自己的叙述不同的生活图景。

好啦好啦，现在还是说说古老的发现吧……

一个古怪的百宝箱

400年前，在博物馆出现之前，富人们常常收集古董，并在一个特殊的柜子中陈列展览，这柜子被称做“古玩百宝箱”。为什么不建个你自己的百宝箱呢？

你可以展览你自己的……

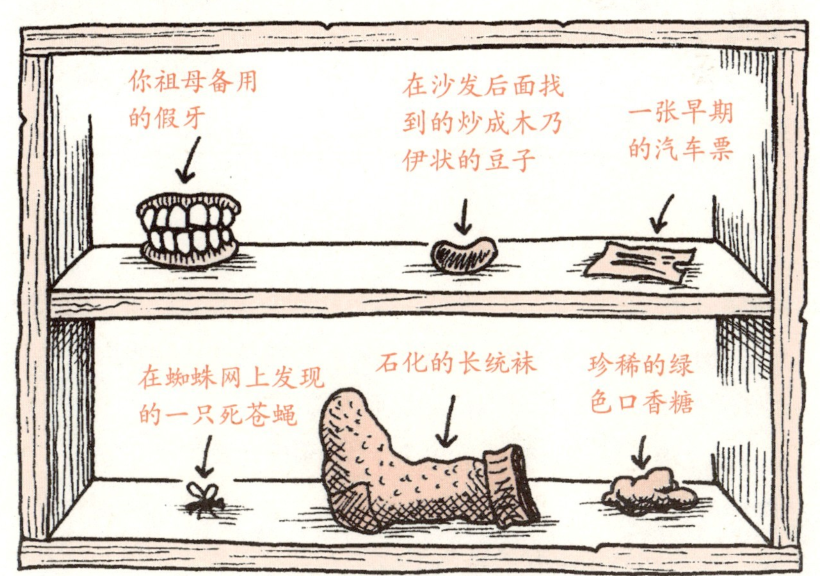

你一定感兴趣，特别是得知我们已经为这本书组建了一个巨

大的古玩百宝箱。它们是从世界各大博物馆汇总的文物。之所以选择它们，不是因为它们的价值，而是因为它们每个都讲述了一个故事。现在，在博物馆要求完璧归赵之前，你最好多瞅瞅。（哎呀！）

展品说明

1. 不是特别有意思？那好，这个苍蝇在腐肉上产卵。它是在1350年前的卧室中发现的，当时居所已神秘消失。因此，这个苍蝇吞食的一定是腐烂的斯堪的纳维亚人的尸体！

2. 无趣？听好，在公元73年，1000个犹太战士阻击了马萨达海湾的罗马军队。人们你杀我我杀他，决不投降。被逼得没有办法，最后的11个幸存者选出了一个人，在他自杀之前杀死其他的人。选择靠抽签决定——因此这些碎片是一场致命的抽签的遗物？

3. 无趣？一点儿意思也没有？庞贝（意大利南部古城，公元79年，附近的维苏威火山爆发，全城湮没，直到18世纪中叶，考古学家发现遗址——译注）城墙上有比学校厕所更多的涂鸦乱画。那里有广告信息如“波图姆纳斯——爱——阿普莲达拉”，还有猥亵的罗马笑话（不，我不想重复这些了，因为无聊的成年人会禁这本书的），反对乱画的涂鸦艺术家创作的诗歌：

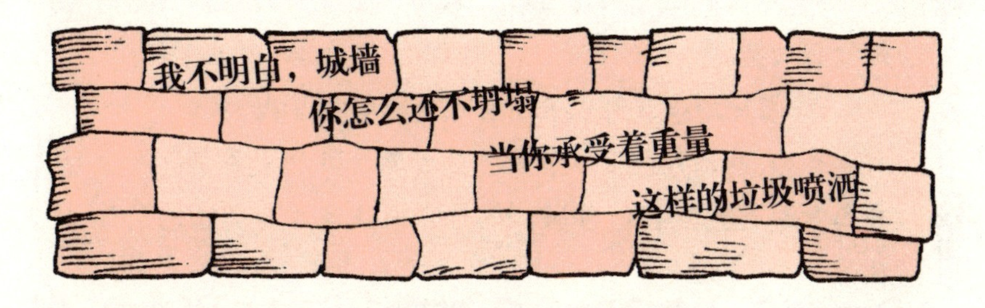

像这样的诗歌，足够激发你在墙上一试身手了。

4. 写字板是人们在其上书写的土块。记得不？这一块是有3000年历史的一个上课日子的记录。下面是大致的翻译：

> 我不得不跑步上学，要是迟到了，我会挨揍的。我必须背诵一块写字板上学到的东西，否则我们的学业负担就会加重。
>
> 因为说话，我挨了揍；因为站起来，我挨了揍；因为写不好字，我挨了揍。我恨学校！

听起来是不是很熟悉？（我捏造了最后的四个字，但是其他的都是如实翻译的！）

5. 讨厌？和你打赌——我敢说它藏着一个更恐怖的秘密呢。

这些粪便是在1150年被阿纳吉萨人占领的遗址上发现的。

它周围是一片人骨，看上去像是烹饪的菜肴。因此，可以断定阿纳吉萨人是食人的生番？对粪便的测试显示，其中的化学物质只出现在人肉中，也许他们需要蒸煮一个客人用来做午餐……

耸人听闻的事实

现在，你也许认为一根难看而古老的动物骨头是……对呀，一根难看而古老的动物骨头，它能告诉专家很多很多……

- 可以判断骨头出自什么动物，由此得知人们食用的是什么动物。
- 切割的痕迹可以表明骨头是否被剔了肉。
- 人们也许抽取了骨头中的骨髓，并制成香肠。（没有人知道是谁发明的香肠，但是它很快就成为美味的油炸食品了。）

考一考考古学家

考古学家每说对一个国家，就可以奖励他一颗星，如果他们能够说出发现物和遗址的来源，再追加两颗星。（机会大大的，哈，哈）

答案

1. 津巴布韦。这个国家因为大津巴布韦（非洲古城，遗址在今天的津巴布韦东南部——译注）而命名。毁坏的宫殿由1270年当地的马绍那人兴建。津巴布韦的国旗，因上面的石鸟雕刻图案而别树一帜。

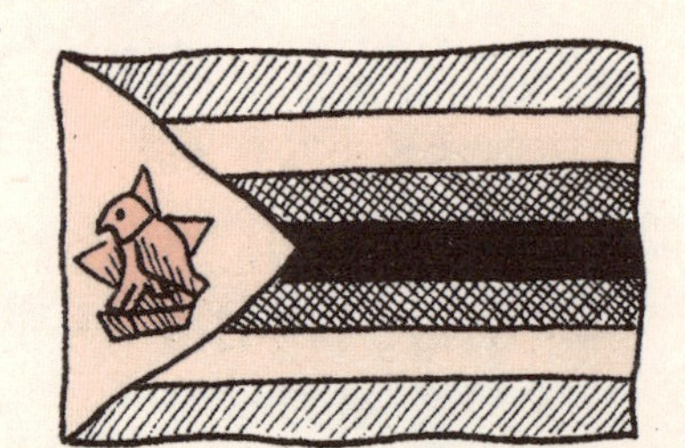

2. 马其顿。国旗的设计由金箱子上发现的星星而得到启发。箱子里装着据说是菲力普二世烧过的骨头，他是寡头征服者亚历山大大帝（公元前356—前323，曾征服希腊、埃及、波斯，并入侵印度，建立亚历山大帝国——译注）的父亲。事实上，国旗惹恼了很多希腊人，因为菲力普统治的古代马其顿王国实际上是在希腊，而金箱子是在那里发现的。

重要说明

许多国家为流落异邦博物馆的文物深感惋惜，以至于要求将它们物归故土。希腊人要求归还1812年英国人从雅典的帕特农神庙搬走的大理石石雕。土耳其要求归还谢里曼在特洛伊发现的珠宝。（现在在俄罗斯，是第二次世界大战末从德国偷走的。——这听上去有些复杂？）

但是同时，一些贪得无厌的人还在觊觎，准备收购被盗的远古珠宝。强盗们还在洗劫考古遗址，并变卖他们发现的文物。这里有一个故事，一个人维持生计，就靠干这种勾当……

理查德·威斯吕尔的故事

他忠诚的仆人和伙伴海雷蒙·菲吕姆

在理查德还是个孩子的时候，他们4个兄弟就酷爱探险。他们曾一度追逐落日。这些男孩还真像铁哥们儿，为什么，见鬼，看我忘了——他们是兄弟嘛。

理查德喜欢从当地的废墟中收集印度的陶器。很快当地人开始拜访威斯吕尔的家园，就图看一眼他获得的宝贝。我猜，那激发了理查德炫耀自己文物的念头。1888年，他在佛得角台地发现了陡峭的宫殿，他的运气来了。虽然那只是一片废墟，但是对理查德而言，却是真正的宝藏。他在那里挖了好几个小时的陶器，认定若运回丹佛展览，他可以大大地赚一笔。

可是，他的计划泡汤了（容我吐出这口咀嚼着的烟泡）。他差点儿破产了！眼看就要水落石出了，他的表弟送给他一具木乃伊。既然木乃伊只是一具干瘪的古老尸体，一身体无完肤，一脸鸡皮皱纹，哪有什么看头呢？但是没想到的是，当地人居然千里迢迢地赶来，竞相一睹为快。因此理查德赚了一大笔钱。但他仍全神贯注地挖掘台地——最终他开了一个铺子，专卖那里的陶器。

但是好景不长，华盛顿的政要们设想，太多的民众热衷挖掘古代的坛坛罐罐实在不值得提倡，于是他们出面予以制止。（原谅我说得手舞足蹈，唾沫横飞。）因此理查德转而务农了，后来他在1910年被偷牛贼射中了，说到这里我很难过。好了，现在的民众们大变样了，我们也知道，私挖遗址，并不比蟊贼们劫掠自己最好的邻居好到哪里去。

今天，考古学家比过去有更多的发现了。那是因为当今他们更细心筛土以淘出小物件（还记得第27页那些甲虫和花粉吗），他们不愿错过任何一件。举例说，考古学家在美国宾夕法尼亚州挖掘，那是一个石器时代的遗址，他们归置了250万件小东西——这可是件浩大的工程，但是他们出色地完成了整理归类，哈，哈。这里有一种从泥土中分离细小文物的方法，你也许愿意试一试……

自己动手……筛出秘密

你所需要的是……

桶装2～3铲的泥土（不要带它们进到屋里去——这种活动严格限于在户外进行）

一把旧的茶叶漏勺

一桶清水

从事园艺的手套

一些种子（芝麻的种子就行）

你所要做的是……

1. 在处理泥土之前，戴上手套。

2. 搅和种子和泥土。

3. 加水直到淹没泥土5厘米深。震荡摇匀。

看看接下来发生什么啦？

答案

种子和细小的考古发现物，诸如骨头片、鱼鳞、蚂蚁等都会浮上来，并且你能用漏勺分离它们。这门技术由工作在伊利诺斯州的考古学家斯图瓦特·斯特拉弗于20世纪70年代研究出台。最早的技术还包括站在河边，撒一张大网——但是你不必为那样做感到抱歉……

无人能懂的语言

古代的人们用远古的语言写作，它们大都被遗忘很久了。因此，为了阅读他们的文字，考古学家不得不重新学习这种语言。

但是他们怎样学呢？找一个真正的古代老师？其实他远不如你的语言老师那般老态龙钟！

不，要做好，得通过细心的观察和一些灵感的猜测。第一种被破译的语言是古埃及语。1798年，一个法国士兵在埃及的罗塞塔附近发现了一块古代的石头，上面镌刻着用希腊语和古埃及语写成的铭文。学者们认识希腊文，因此推敲用古埃及语写就的内容也就水到渠成了。

但事实并没有你想象的那么简单。

法国人吉恩·商博良（1790—1832）花了15年的时间去研究这些符号和希腊文的关系。商博良是一个天才，在17岁的时候他就通晓8种语言——做同样的事对一个平常的人来说得花500年。最后，商博良发现自己认出了埃及法老的名字。他欣喜若狂，冲过去看着他的兄弟，高声大喊：“我知道啦！”然后就晕了过去。

你能破译玛雅文字吗?

更近一些，考古学家已经破译出了中美洲的古代玛雅人使用的手稿。这里，没有别种文字的对照文本帮助考古学家去研究了，然而有一天他们取得了关键性突破。你能做到吗？

继续读下去，谜底会揭开！

1863年，法国学者布雷热·德·博博格在马德里发现了一本神秘的旧书，它是西班牙主教对玛雅人的记录。这个主教和一些幸存的玛雅人交谈，并记下了他们使用的数字和字母，其中一些记号理解起来比较容易。

1. 这些是什么意思？

.

. .

. . .

线索：我就指望（点数目）你们认对它们了！

20世纪50年代，俄国人克诺佐罗夫和普罗斯库罗夫研究了这些奇怪的文字。普罗斯库罗夫认定这些文字符号是语音符号。不，这跟电话没有丝毫关系。这是个时髦的说法，意思指的是每一个符号代表口语中的一个音节。

猜想这些符号指代的是玛雅历史上的重要日子，而题字是对玛雅统治者言行的记录。

1973年的一天，一小批专家聚集在玛雅古城帕伦克，他们在桌子上摊开一条题字的副本，开始研究。

2. 假定你是对的，哪两个文字或哪组文字，你希望多次频繁出现……

国王

厕所

奶油蛋羹

王冠

花生

打败/遭袭/被杀
（还有其他一些“动作”词汇）

答案

1.它们是我们的数字——1、2、3。实际上，这些数字指代玛雅历书上的年头。

2.国王和“动作”词汇（它们最时髦的术语是动词）。

专家们破译了玛雅文字，并因此读懂了大量的玛雅文献。文字本身也极其辉煌！它们记录的是野蛮的战争和存活的人们祭奠诸神的活动。

木片书写

考古学家甚至还发掘出私人的信件。在俄国的诺夫哥罗德，考古学家发现800年前写在木片上的信件。上面的内容是一个可怜的女人抱怨说，她的继子打她，还把她从房子里撵出来。在英国北部的要塞温多兰达，他们发掘出了写在易碎的树皮上的罗马书信——在信中发现男孩的家庭作业和老师的评语——如出一辙。有些事情是永远不变的。

罗马的老师体罚学生，不过我们希望这位老师做的事情要比他的胡乱评语好些。

树皮条非常易碎，一见空气，字迹就很快烟消云散，需要特殊的化学处理。但是，那是许多发现物的典型情形，你下一章会看到的……

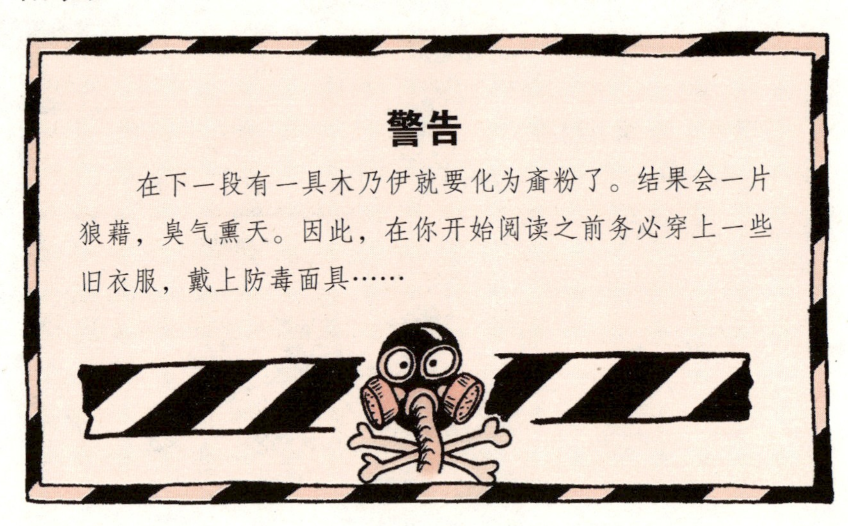

噢！木乃伊，简直无法想象！

1907年，考古学家西奥多·戴维斯在“国王谷”发现了一座久不为人知的坟墓，政界要员们赶来观看坟墓的开启。

打头进去的是约瑟夫·林顿·史密斯，他是被邀请来绘制考古现场的艺术家。坟墓上刻有图坦卡蒙祖母的名号（不，这可不是意味着就是她的木乃伊）……

约瑟夫发现部分墓顶已经坍塌，雨水从顶端渗透下来，还好，木乃伊似乎还完好无损。

过了一些日子，官员们重新组织前去参观约瑟夫解剖被包裹在薄薄的纯金片中的木乃伊……

在金片下面，尸体还包着一层易碎的、褪色的亚麻布，金色的镯子套在手腕上。史密斯在绑带的下面试图寻找出更多的珠宝。

突然，木乃伊瞬间崩成尘灰，甚至连骨头也碎了，眨眼工夫，剩下的只有一些腐烂的骨头和皮肤残渣。哦，还有一些美丽的珠宝碎片。

考古学说明

1. 你会高兴地知道，现代的考古学家不经常解剖木乃伊。今天，他们采用X光照相，并插入特殊的叫作内窥镜的内视管检视，以能够尽量减轻损坏。

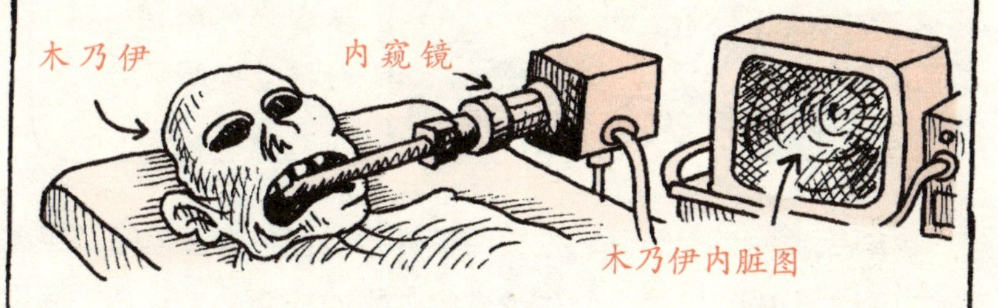

2. 更多的专家认为，那具木乃伊实际上是图坦卡蒙的兄弟斯门卡尔。很明显，对你的兄弟而言，发生这种事太糟糕啦。（我敢肯定你不会同意！）这个故事突出表明，一些发现物很脆弱，而不懂行的人可能会破坏它。

极端易碎的发现物

1. 摄影师哈里·波顿正忙着给一座埃及坟墓中美丽的木雕女孩拍照，这个坟墓受到吞食木头的虫子——白蚁的蛀蚀，它们咬嚼雕像直到在那里面蛀成迷宫般的“羊肠小道”。就在波顿拍摄的空当儿，雕像化成了灰尘。幸运的是，相片出来的效果倒很好。

2. 图坦国王的衣服看上去还保存完好，可等到有人触摸时，它们就碎裂了。令你大开眼界的是，那件衣服上缀有数千颗珠子和小金属片——一件长袍上有5万多颗，它们都必须缝挂在复制品上。

提醒你，如果你想看看过去的模样，最好是去复原它。也就是说，利用古代的工具，制作考古发现物的复制品。这样一来你就可以目睹过去，亲身耳闻和体验过去，甚至还能嗅嗅过去的香臭。

为什么不在下一章嗅一嗅呢？

复原解谜

现如今，考古学家在发掘过程中做的工作比过去更细致了。动手是挖掘工作的核心。他们想弄清古代人到底是怎么制作物品的。这称做“实验考古”，而一些考古学家还真练出了一些非同寻常的技术，在这次经济萧条之后，也许会涌现出更多的复原品……

你需要一个燧石石斧吗？

为什么不“斧砍”这个考古学家艾伯特？他可是个打磨（偷窃）燧石的行家里手。从练习燧石钻孔（偷盗）到燧石削片（顺手牵羊），他曾经花好几年工夫去复制石器时代的人工制品。

艾伯特说：你可赶不上我打磨（抓不住我偷窃）！

“喔——这些小偷小摸（钻孔）是不道德的。”

——一个警探

照亮你家！

用一幅真正的石器时代的壁画

艺术家米歇尔·罗伯兰奇特记得在佩奇·梅里洞窟发现的斑马画的每一笔，他很乐意在你的起居室也涂绘一匹！（只用32小时。）

小传单

米歇尔通过分割画作和包裹在稻草中的木炭为马添加斑点。（不要在你自家墙壁上尝试哟！）

视觉特效——如果需要对你的画作突生敬佩，可以尝试用考古学家索斐德·伯朗制成的石器时代的油灯来看（它燃烧死牛身上的脂肪）。

这些就是整个轮船模型的零件？

只花10 000 000.99英镑，你就可以买下这艘独特轮船的全部零件，它有5000年历史，在1954年吉萨的大金字塔附近被发现。

小传单

1. 这些零件是哈格·阿蒙德·约瑟夫组装起来的。（他花了14年）但是为了你，我们可以拆散，你就可以很愉快地组装它了！
2. 这里没有安装说明。

按老式的方法做事？……

试着用古代人的方法搬动石头，考古学家们弄伤了自己。在南美洲有着500年历史的遗址上，他们不用水泥，而用成型的石头，用古代石匠们可能用的建筑法子升举石头，他们建起了城墙。

唯一的问题是这些实验缺乏证据，我们无法证明古代的人们真是这么干的。

奇异的农耕

在20世纪70年代，考古学家在汉普夏郡复原了有2000年历史的农庄。他们发现在铁器时代，建房屋用的却是200棵树木，但是它们却很牢固。他们尝试了铁器时代的农耕，并且发现在铁器时代生长的小麦品种长势喜人。

在20世纪70年代末，一队志愿者在模仿的另一座铁器时代民居中整整生活了一年。他们放弃了中央空调、汽车、电灯、电话和超市购物，但没想到的是，他们大多数都生活愉快。因此你的祖母是对的：那都是些过去的好日子（实际上她并不是指铁器时代，因为她还不到2000岁呢）。

耸人听闻的事实

1. 复原出来的古代农耕方法往往证明它们要比现代的方法更成功。在南美洲的玻利维亚，考古学家向当地人演示，怎样在自1450年以来就没有耕作过的发酵的土地上种植马铃薯。这片土地遭受霜灾的破坏比一般的田地要轻微得多，所以收成还不错。

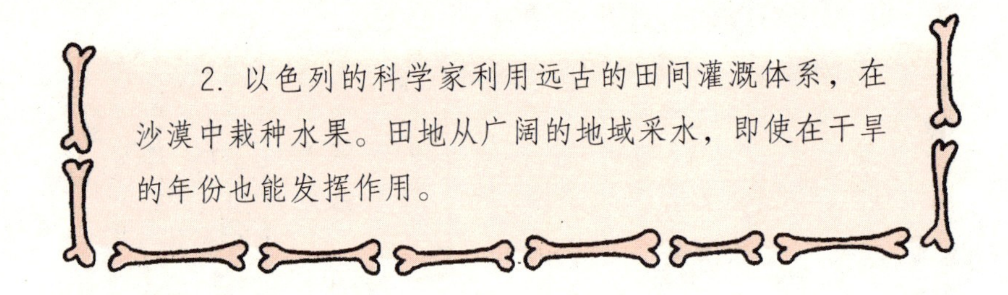
2. 以色列的科学家利用远古的田间灌溉体系，在沙漠中栽种水果。田地从广阔的地域采水，即使在干旱的年份也能发挥作用。

炫耀的船只

考古学家建造了古代船只的复制品并用于航行。索·海尔德荷尔和蒂姆·塞沃因进行了尝试，以证明古代人能够横渡大洋。为了说明人们怎么到达复活节岛的，1947年，索·海尔德荷尔驾驶一条独木船，从南美洲出发，航行了6900千米。（现在，考古学家认为岛上的人们另有取道美拉尼西亚群岛的捷径，因此，索的理论似乎比他那独木船上的漏洞还多。）

复制的北欧海盗船，共建造了50多艘，并在斯堪的纳维亚和美国之间做长距离的远航。在20世纪90年代，一群无畏的俄罗斯研究者模仿建造了一艘海盗船，在俄罗斯的河流中下水，沿着维京商队的路线从斯摩棱斯克抵达黑海。同时，一队同样英勇的瑞典研究者在俄罗斯更北的河流下水试验他们的复制品。这里有一封可能是他们当中的一位成员写下的信件……

某地，在俄罗斯的拉维特河或
第聂伯河

亲爱的妈妈：

我正在这条河流上巡航。特别是轮到我划桨的时候，我就像一个真正的北欧海盗！问题是，我们常常被卷进急流险滩，所以不得不把船拖到岸边来，装上一辆复制的海盗推车——我们的速度并不快。我必须负轭拉纤（告诉你我倒没受什么束缚），但是，蚊子和马蜂老是来骚扰，没想到做一个海盗也这么难！

很高兴您没在这儿！

爱您的拉斯

你能成为一个考古学家吗？

这里有5项复原的记录。你能预测考古学家会发生什么事吗？

1. 伊朗的考古学家发现了世界上最古老的酒，在瓶底发现了有着5000年历史的饮料的痕迹。他们断定这是公元前1800年的酿酒方子，并决定酿造他们自己的古代啤酒。考古学家把这提供给美国的酒商，猜猜看接下来会发生什么呢？

a）啤酒难喝透了，酒商中有三个人病倒在地毯上。

b）啤酒非常浓烈，每个人都喝醉了，这里有一些尴尬的场景，可我把最有趣的给忘记了。

c）啤酒很爽口！

2. 在死尸的内脏中发现了食物的残渣，这深深地吸引了考古学家们。（也许他们发现空着肚子工作很困难？）考古学家摩太默·威勒和格林·丹尼尔吃了一份稀粥——按照有2000年历史的死尸胃中的东西烹饪的稀粥，你想结果会怎样？

a）两个考古学家要求再来一份。

b）考古学家因中毒被送往医院。

c）稀粥难以下咽，但是考古学家勉强喝了下去。

3. 1976年，考古学家模仿制作了一艘加利福尼亚的丘马什人（北美操霍卡语的几个有亲属关系的印第安人的通称——译注）的打鱼船。就像丘马什人一样，考古学家用石制工具和鲨鱼皮打磨木料，结果怎样呢？

a）船沉了。

b）船漏水很厉害，但是航行良好。

c）考古学家的船给吹偏了方向，最后他们到了澳大利亚。

4. 考古学家约翰·科尔斯和一个同事用复制的3500年前的宝剑和梭镖，打了一仗，战果如何？

a）一个考古学家被杀死了。

b）战斗似乎证明，作战中青铜盾牌还没有皮革盾牌有用。

c）警察闻讯赶来，逮捕了两名考古学家。

5. 考古学家乔治·弗吕森向一头死象投出一把带石尖的梭镖（按照1万年前北美的克洛维斯人的方法制作），会发生什么呢？

a）梭镖刺穿了大象坚硬的厚皮。

b）梭镖被大象弹开了（它原本是用来捕猎兔子的）。

c）大象实际上还是活的（在打瞌睡呢）。这个被惹火的庞然大物把考古学家追出半里地。

答案

1. c）问你的爸爸年轻的时候是否喝过这种啤酒。不过，这并不是一个好主意。

2. c）稀粥由研碎的燕麦、亚麻籽和其他野草的种子熬成（从发现的最早的粥中筛除了沙子和苔藓），但是仍然难以下咽。考古学家不得不从牛角中倒出白兰地来狂饮，以便能够咽下。

3. b）考古学家浑身上下都湿透了，他们不得不用贝壳从独木船中舀水。实际上，这种原始的独木船漏水——这是相当现实的。另外，他们的独木船时常翻船，很多人淹死了。因此这艘船要真沉没了，那倒是真的身临其境了。

4. b）约翰·科尔斯携带的松软的皮革盾牌便于折断对方的剑，而金属盾牌反而被砍成碎片，这说明青铜盾牌中看不中用。

5. a）梭镖可以用12次不会损坏，（和梭镖相比——当然了，大象伤得厉害一些）有人要庞大的“象”排吗？

说起狩猎，你相信有一个真正的石器时代的猎人（最近的一个早在1911年——和飞机的发明与好莱坞的电影同一时代）在美国的加利福尼亚出没吗？你相信那个猎人向考古学家展示了他的生活方式吗？不管你信不信，那是真的。这里有一个研究者讲了下面的故事……

最后一个亚希人

伯克利，1911年9月

亲爱的玛丽：

我写信给你，想让你知道我从奥罗维尔回来，一切安好。那是一次非常奇特的经历。我们到达城镇，每一个人都在谈论被治安官抓住并被关在监狱的“野人”。麻烦的是，治安官对我们的拜访有些恼火。

“我们来自加州大学，”我说，“我们想见见你抓的人。我们相信他是存活的最后一个亚希人。”

"去你的，这关我什么事！"他骂骂咧咧的，"那儿的野蛮人惹出的麻烦，比他们自身的价值大得多。"

被这种不太文明的欢迎弄得有些吃惊，我回应道："好啦，你总不能永远锁着他吧。如果他是一个石器时代的猎人，这根本就不违犯联邦法律。"

我跟着治安官走进监狱，在那里我们看见了我曾经目睹的人类中最悲惨的人种。他筋疲力尽，骨瘦如柴，肋骨外显。他的面颊深陷，紧闭的双眼黑黢黢的，满是恐惧。

"没有人可以走近他。"抓起自己的威士忌酒瓶，治安官说，"他说的话带些野蛮的印第安口音，先前没有人听过。"

然而，玛丽，后来的几天，我都尝试和那个人说话，用的是带在身上的书本中写的当地语言，但是进展缓慢。我们做出决定，带着这个人回学校博物馆，那是他应该待的地方。

好啦，我想那是我报告给你的消息。

爱你的兄弟
索马斯

伯克利，1914年3月

亲爱的玛丽：

谢谢你的最后一封信，你想知道全部有关依斯——那是我们对野人的称谓——的事情，在这里告诉你最新的消息。依斯的表现很好——他住在博物馆中，他给来访的学生们展示怎样制作石制工具和箭头。我想他一定是美洲最后一个懂得石器时代技术的人了。现在我和一些朋友计划带他回到他的本土，想进一步了解石器时代的人们是如何生活的。

进展我会告诉你的。

爱你的兄弟

索马斯

我们在哪里呢？1914年5月

亲爱的玛丽：

很抱歉涂得乱七八糟的——我是在篝火旁写这封信的。和依斯生活在一起真长见识。你知道弓箭在派上用场之前要调试几周吗？知不知道石器时代的猎人跟踪动物几小时却经常空手而回？我应该知道——在依斯给我们射杀一头鹿之前，我们都饿了两天了。我们不得不放弃吸烟，因为依斯说野兽们闻得出烟草。他是对的，没有他，我们已经饿死了。

那个依斯真是个知识丰富的家伙！

爱你的更是饿坏了的兄弟

索马斯

伯克利，1914年8月

亲爱的玛丽：

我从蛮荒野地回来后写过信，这是匆匆的附言。我们都安全返回。对我来讲，这可不是一眨眼的工夫。食物还没有在胃肠中消化，我又吃了一顿热乎乎的晚餐，睡在沙发床上，我已经不觉得委屈了。多么有趣的经历呀！

依斯带我们参观他族人们的坟地。他指示给我们200种可以食用或入药的草木。玛丽，我再三地思考过了——那个治安官错了！这个人不是野蛮人——他所知道的技术，有好多是人类中的其他人都不知道的，他简直是一个活化石。

匆草！

爱你的兄弟

索马斯

又及：你要在城里，就绕道过来吃晚饭吧。我烧了一份简单的鹿排。

喔，好啦，考古学家怎样复原过去，已经说得够多的了——现在轮到你了。是呀，该你披挂上阵，动手做一点复原的工作了！我希望你对此已做好了准备……

自己动手……制作你自己的木乃伊

第18页上的考古学家制作了一具木乃伊，还记得吗？现在该你啦！

开始之前读一读这个！

你需要一具死尸（理所当然）。你可以用你的小弟弟/小妹妹/老师（只要你不介意被关一段时间）。要不狗尾续貂，你也可以用一个旧的布娃娃或者连衫衬裤作替代，然后一鼓作气，完成5个步骤。

1. 塞些书在桌腿下面，垫高一张大桌子的一头。这就能使死人的血液和脑髓流到另一端去。（记住先要拿开大量的报纸，清扫掉茶末尘灰）将尸体平放在桌面上，头朝垫高的一头。

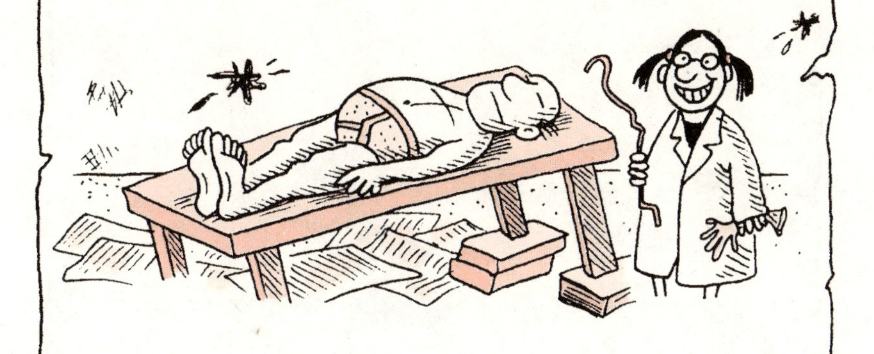

2. 从尸体的鼻孔捅进一根金属线，直至脑部。搅动金属线，直到脑子变成一锅粥，并从鼻孔流出来。丢掉它——你的木乃伊不需要脑子。作为替代，把一些热树脂或人造树脂，从鼻孔倒进脑壳。（这可以杀死细菌，防止残留在脑壳里面的肉末腐烂。）

3. 剖开尸体，掏出肠、胃和肝、胆，置入一个特

殊的箱子里。把心脏留在原来的地方——每一个埃及人都晓得的，那是你心想思维的部件。

4. 用盐和烘烤用的苏打混合物浸泡后包好风干。停放35天，然后清理干净，再倒进更多的树脂。

5. 用亚麻绷带包裹尸首。你可以用厕所里的纸卷——它便宜些。

6. 置入坟墓停放3000年。

7. 坐下来在坟墓外来一次愉快的野餐，不要打碎杯盘。要小心些——你可能会惊扰了你的木乃伊！

那是理论——实践常常有所不同。一些木乃伊制造过程十分恐怖！

一具男孩的木乃伊在装进棺材之前给弄折了腿。

一具女性木乃伊，人们发现她的大腿间还有另外一个人的头盖骨。

另一具木乃伊，胳膊和腿散放一处，脑袋用一根棍子支撑着以免掉下来。

国王阿孟霍特普三世的木乃伊，原先的肌肉都给掏空了，代以锯末和泥浆。不幸的是，他皮肤爆裂了，结果样子十分狼狈龌龊。

在一个孩子的棺材里，人们发现里面居然装着一只熏沐过的猫。这个失职的熏沐人一定是弄丢了孩子的尸体，因此用他们的宠物猫来敷衍充数！

甚至图坦国王的尸体也保存得很糟糕，要是能够埋葬在干燥的沙漠里，他也许会保存得更久一些。

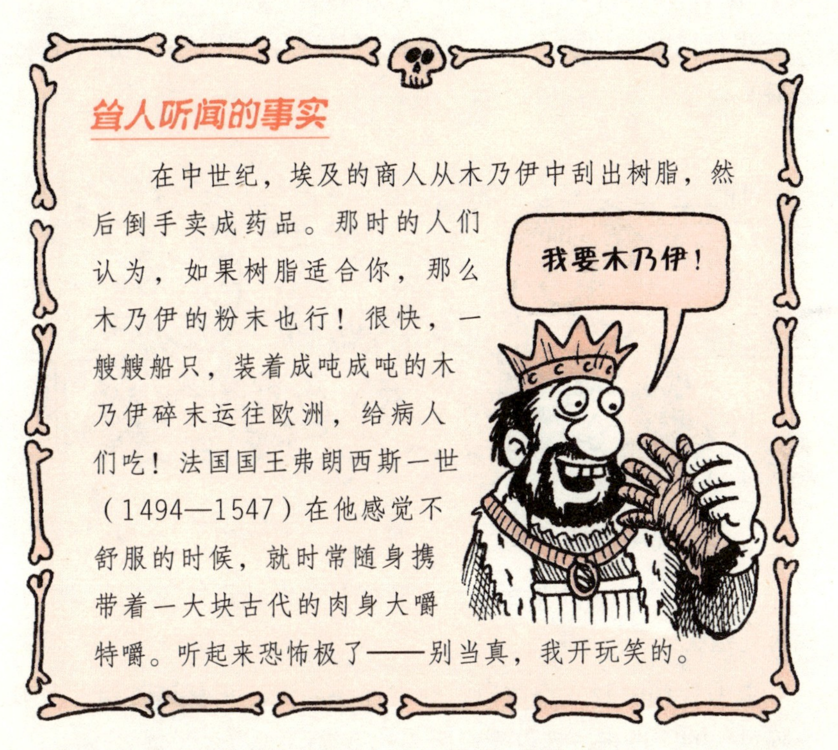

耸人听闻的事实

在中世纪，埃及的商人从木乃伊中刮出树脂，然后倒手卖成药品。那时的人们认为，如果树脂适合你，那么木乃伊的粉末也行！很快，一艘艘船只，装着成吨成吨的木乃伊碎末运往欧洲，给病人们吃！法国国王弗朗西斯一世（1494—1547）在他感觉不舒服的时候，就时常随身携带着一大块古代的肉身大嚼特嚼。听起来恐怖极了——别当真，我开玩笑的。

然而也有好消息，即便头颅里的肉全都腐烂了，专家也能重塑那个人的面貌。现在是回到基尔默学校的时候了，在那里，考古学家们正要运用这门技术呢。对了，他们在旧校的遗址发现了尸骨——还记得不？现在他们想知道他们中的一个活着时是什么样子……

第四部分：让我们面对它！

奥斯华德很不高兴，“古莱尔，还有她的那张大嘴，她有什

宠物猫来敷衍了事！

么权力指挥我？”他装出古莱尔吱吱叫的声腔，“斯耐普先生，

的沙漠里，他也许会保存得更久一些。

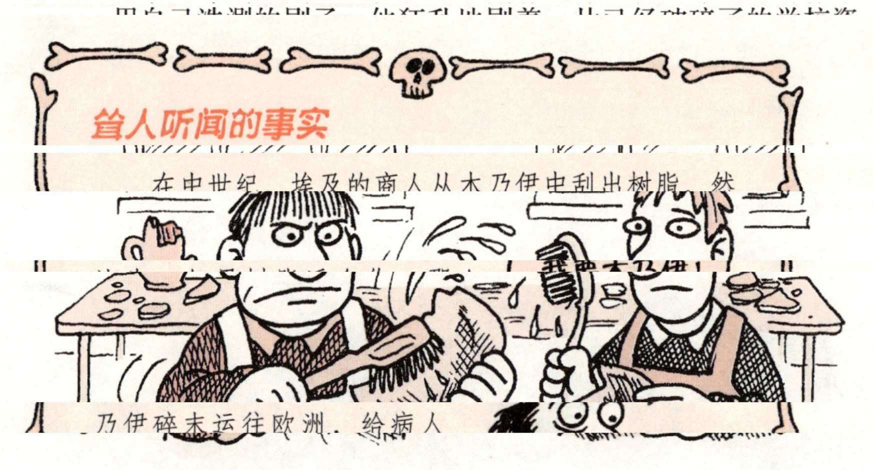

耸人听闻的事实

在中世纪，埃及的商人从木乃伊中刮出树脂，然

乃伊碎末运往欧洲，给病人

“噢，不要咕哝抱怨了，奥斯华德。”汤姆说，“他们今天早晨挖出了一间旧厕所——至少她没有让你从古代风干的屎尿中筛拣死蛆呢。”

奥斯华德的脸变得惨白，吓得连连后退。正在这时候，山姆一阵风似的跑进来，带着光彩照人的微笑。

“嗨，孩子们，进行得怎么样啦？”她问。

塑那个人的面貌。现在是回到基尔默学校的时候了，在那里，考

古学家们正要运用这门技术呢。对了，他们在旧校的遗址发现了

“很好。”他们异口同声。

可山姆已经钻进隔壁的房间

样子……

发现物的数据库。先是汤姆后是奥斯华德蹑手蹑脚地猫到门边，（再

安静不过了）偷听山姆和克莱尔在说些什么。

“数据库进展顺利！”克莱尔说，“只是，我怀疑他们是否已经完成对那个成年人头盖骨的复原了？”

“复原——那是什么意思？”奥斯华德向汤姆耳语道，“是不是他们要在上面添上肌肉？”

“嗯，黏土，我想，”汤姆皱了皱眉，“他们制作了一个头颅石膏像，然后——嗯，我不敢肯定……”

两周后，所有的事情都水落石出了。

那是学期的最后一天，在学校礼堂，考古学家们向家长和孩子报告了他们的发现，第格拜教授讲解了困惑着汤姆的每一道程序。

“……它们形成一层层与肌肉匹配的黏土。当然了，不要忘记那个石膏眼球。就像你们在这张幻灯片上看到的，我们用的是在遗址发现的玻璃眼球，因为我们断定，眼球和头盖骨都是玛格内特·基尔默的。”

当第格拜教授按动按钮，屏幕上出现了一颗部分带肉的头颅，还有一个睁大的石膏眼球，一个发光的玻璃眼球，众人倒吸了一口凉气。

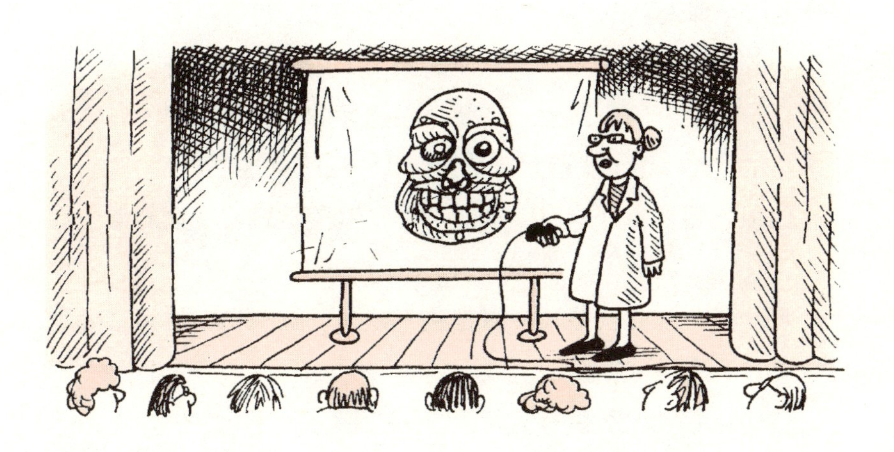

“绝啦！”奥斯华德说。

“好酷！”汤姆说，“我敢打赌，她的眼睛每掉出来一回，她就失去一个学生。”

“真妙！”克莱尔说，“我要做做笔记！”

“现在该凯温·希普来解释我们都知道的头骨了。”

教授用胳膊肘提醒凯温。他很紧张地在衣兜里掏东西，展开一张皱巴巴的纸。

“嗯，对了，在遗址里发现一个成年女性的遗体，我们很震惊。作为研究成果，鉴定是由山姆做的。”

这个时候，所有的眼睛都转向了山姆——她露出了她最灿烂炫目的微笑。同时，凯温正努力辨认他手上拿着的一份手迹。

“嗯，这个，山姆发现了这份最后的遗嘱，玛格内特·基尔默的遗嘱如下：

“‘我，玛格内特·基尔默，现在身体很棒，脑子好使，’哦，耶，这里有点绕弯……‘委实是由衷忏悔，在我的有生之年，我对待孩子有些残酷。没有正当理由，我就揍他们；而其中三个孩子因病死亡，为此，我的良心深受谴责。因此，我把我所有的财产和物品捐献给慈善机构，为穷孩子们购买书本。而我的身体就直接埋入我先前的学校所在的那片土地。’”

一阵静默，鸦雀无声。“而这个，”诺曼·卡斯特很骄傲地指着桌子上蒙着的东西说，“就是根据她的头骨，制成的玛格内特·基尔默的模型。我猜想这是你们头一回瞅见这个女人。”

他很娴熟地揭开遮布，里面是一张紧紧瞪视着观众的泥塑的脸。

观众中一阵交头接耳，声音越来越大，直到嗡嗡的声音爆发成兴奋的交谈。

“那是斯耐普先生！”奥斯华德喘着气说。

“是耶，”汤姆说，“那是他的贼眉鼠眼、鹰钩鼻子，还有

我在任何地方都认得的水壶提耳！”

“安静！”斯耐普先生吼声如雷，看上去非常不安，“我承认这张脸的确和我有些相似，但是，我想，可以这样解释，事实上这里有一种联系。嗯，我想说这个，这个……玛格内特·基尔默是我的太——太——太奶奶。”

又一阵新的狂风暴雨般的议论声。

“闭嘴，闭嘴，闭嘴！”斯耐普先生咆哮着，脸红脖子粗地上蹿下跳。

“天啊，我会挨咒的。”诺曼说。

每个人都拥挤着走出礼堂，仍在兴奋地聊着。斯耐普先生走在最后——他浑身哆嗦，用一块沾有污渍的紫手帕擦着前额。

附近，米克小姐——英语老师，在向教授询问那个慈善机构是否还存在，能不能向学校的图书馆提供资金。

“他们说，”奥斯华德沉吟着说，“残忍在家族内遗传。”

“哦，那是些垃圾！”克莱尔说，“我敢打赌，斯耐普先生知道那座老学校。他们都是老师，这太有意思了——还在同一个地方。”

“嘿，”汤姆说，“说不定他们也把斯耐普先生存进博物馆了呢。”

他们都笑了。

壮观的博物馆

博物馆再也不会像墓室一样拥挤憋闷了，不再是堆满了玻璃棺，也不再有像挤满了的沙丁鱼一样的研究者——事实上，它们该是展品才对。

这里是互动的，是可以真正体验历史发生的地方。举例说，在约克郡的约维克中心，在复原了的斯堪的纳维亚人的完整遗址上，你可以看到正在交谈的人们，闻得出现实生活中的小鸡汤汁的味道，还可以观摩一个斯堪的纳维亚人怎样使用露天厕所（随便提一句，斯堪的纳维亚人用苔藓当手纸）。

在加拿大阿尔伯达省有一个很奇特的博物馆。在那里，你可以亲身体验被复原了的狩猎活动，你可与美国土著一起围猎被赶下悬崖的野牛。这项有趣的活动来自一个传说：一个勇士试图捕获一头摔下来的野牛。这是一项勇敢的尝试，但是这个勇士一定是一个做不成薄饼的柠檬……那就是他最后的结局。在将来，博物馆可能运用幻影的仿真技术。漫步在被考古学家发掘出来的古代建筑里面，这样你就可以真切地感知了。

但是，将来的考古学会是什么样子的呢？好吧，在不久的将来，你会明白的……请接着阅读下一页吧！

尾声：过去还有没有将来

考古学家告诉我们远古人们生活的方式，以及他们的信仰—— 但是这里还有一堂可怕的课，我们依此参照自身，但不适合每一个人……

人类在不断地破坏！我们是破坏之王！你知道的，人们盗掘坟墓，盗窃古代遗址。而最悲惨的是人们在奋力保护过去的同时，仍在千方百计地加以破坏。

还记得斯门卡尔木乃伊的故事吗？考古学家想尽办法试图保护并珍藏那具敲碎了的尸首，但还是不小心被他们弄坏了，可怜的斯门卡尔完完全全化为了齑粉。

而考古学本身就是一种破坏的形式。如果你挖掘一处遗址，那你就在断裂古代地层。因此对于将来的考古学家来说，他们将更难展开研究。因此仍要为后人留下一部分遗址，当今的考古学家就是这样做的。

十分恐怖的消息

成千上万的古代遗址面临着危险。因为当代的建筑地基挖得很深，会突破考古地层。

考古学家经常发现他们的发掘在和时间赛跑，他们要努力在建筑者开工并用水泥掩埋一切之前做好遗址的挖掘记录工作。

由大坝围成的湖泊，淹没了遗址。

农民翻耕时，发掘出遗址……

好消息

许多国家为此制定法律，以保护考古遗址免遭偷盗和开发。并且千千万万的人也在时刻关注着考古，他们在电视上观看考古节目，参观发掘过程，游览博物馆。

更可怕的消息

一旦考古遗址得到专业发掘，它的危险性就更大了！事实上危险来自那些对它特别钟情的人。成千上万的发掘者步履沉重，使遗址摇摇欲坠——毕竟，古代的坟墓意味着死寂安宁。在20世纪80年代，为了保存埃及的奈费尔塔伊墓，政府不得不耗费巨资修复，因为游览者的呼吸带有的气体成分和说话时喷出的唾液损坏了墓画。如此看来，我倒希望众多的旅游者是墓中的一副棺材。

考古学的未来

读完这本书，你也许觉得考古学听起来极端恐怖。那好——但是同时希望你也赞成它魅力无穷。事实上，考古学在慢慢朝一个好的方向发展。而且毫无疑问，未来的考古学家会利用最新的计算机和地球物理探测技术，为将来的后代子孙挽救世界的古代遗址。那就意味着，伴随幸运，过去将会呈现出美好的未来！